T3-BOB-237

EL FESTÍN DE CRONOS

GÉRARD-F. DUMONT

EL FESTÍN DE CRONOS

El futuro de la población en Europa

EDICIONES RIALP, S. A.
MADRID

Titulo original: *Le Festin de Kronos*

Fotocomposición. M. T. S. L.
Fotomecánica: Megacolor, S. A.

ISBN: 84-321-3086-9
Depósito legal: M. 27.334-1995

Printed in Spain Impreso en España

Gráficas Rogar, S. A. - Fuenlabrada (Madrid)

Índice

En homenaje a mi maestro y amigo
Alfred Sauvy
(1898-1990)

Introducción

Pocas veces es la historia fiel a la lógica cuantitativa de los calendarios. Lo que conocemos como «el siglo de Pericles» duró en realidad quince años. El siglo XV acaba con el descubrimiento de América en 1492. Con la muerte de Luis XIV, en 1715, concluye el siglo XVII. La fecha que señala el inicio del siglo XIX varía. Para unos autores comienza el 20 de septiembre de 1792, cuando los diputados de la Asamblea legislativa, reunidos por vez primera, declaran abolida la monarquía. Otros lo inician en 1815. Sin embargo, hay una mayor unanimidad en relación a la fecha que marca el final del siglo XIX y el principio del XX. Se suele fechar o bien en 1912, cuando los países europeos ponen el punto final al reparto de África, o bien en 1914, comienzo de la Primera Guerra Mundial.

En cuanto al siglo XX, acabó en 1989. Y el XXI comenzó la noche del 9 de noviembre de 1989, cuando las autoridades de la antigua República Democrática Alemana no tuvieron otra elección que decidir la apertura de sus fronteras con el Oeste, con Berlín especialmente, simbolizando con ello la muerte política –aunque no forzosamente ideológica– del gran mito del siglo XX: el del «futuro radiante», el de la construcción de una sociedad ideal llamada comunismo. Con esta muerte queda claro que ningún país, ni siquiera los que se resisten todavía a la evidencia de los hechos, puede ya proponer a sus ciudadanos el modelo marxista-leninista.

Ahora bien, dado que la historia no se hace en un día, podríamos señalar igualmente otras fechas de referencia en las que se producen una serie de acontecimientos importantes que van a suponer un cambio de dirección en el siglo XX. Por ejemplo, el 3 de octubre de 1990, fecha en la que se ratificó la fusión entre el Este y el Oeste, los alemanes asistieron a la creación y posterior integración *ipso facto* en la Comunidad Económica Europea de cinco nuevos *Länder* en territorio de la antigua R.D.A. Otra fecha podría ser la del 12 de septiembre de 1990, día en que se firmó el tratado llamado «2 + 4» (entre la R.D.A. y la R.F.A., por un lado, y los Estados Unidos, Francia, Gran Bretaña y la U.R.S.S., por otro) en relación a las consecuencias que para el resto de los países podrían derivarse de la reunificación alemana, y que puso fin a la tutela aliada sobre Alemania.

Cualquiera que sea el momento exacto, lo cierto es que el cambio histórico se ha producido: el siglo XXI ya ha comenzado. Y con él se ha derrumbado la ideología que durante el siglo XX ha estado ejerciendo un poder de dominación preponderante sobre numerosos pueblos y espíritus. Los años 1989-1990 señalan el comienzo de una nueva etapa de la historia que ya ha abierto sus puertas al futuro.

Por consiguiente, no sería prematuro hacer ahora el balance de la historia del siglo XX. La recopilación de los sucesos acontecidos es de una riqueza tal, que los historiadores difícilmente encontrarán páginas en blanco: por un lado, dos guerras mundiales y decenas de guerras civiles, así como la implantación, durante un tiempo determinado, de tiranías políticas en diferentes países; y por otro, el desarrollo de la democracia, la independencia de algunos países, la conquista de libertades políticas, acuerdos territoriales para tratar de instaurar la paz (Comunidad Europea, Asociación de los Países del Sudeste Asiático, la Unión de los Países del Magreb, el Grupo de Contadora en América Latina...).

Especial mención merecen también los acontecimientos en

materia económica y social, así como diplomática y militar. Por una parte, explotación de nuevas fuentes de energía, desarrollo de la técnica, revolución en el mundo del transporte con el desarrollo del automóvil y del avión, aparición de la telecomunicación y de la informática, mejora del nivel de vida y de las condiciones de trabajo en las empresas, aumento de la productividad en la agricultura, multiplicación de las actividades de servicio, etc. Por otra, y de signo contrario, diversas crisis económicas, épocas de inflación, malas gestiones del empleo, malestar como consecuencia de las reconversiones industriales, necesidad de una producción que respete la naturaleza, importantes conflictos sociales...

En pocas palabras, podríamos decir que la historia del siglo XX es, en cierta manera, una historia «plena». Pero ¿acaso la de los siglos precedentes lo ha sido menos? Desde luego que no. Lo que caracteriza a los diferentes siglos de la humanidad es que en todos ellos ha existido siempre una oposición entre determinadas voluntades de poder y el deseo de asegurar la paz civil, un esfuerzo por mejorar las condiciones de vida y la lucha contra todo lo que se oponga a dicho esfuerzo, un desarrollo de actividades artísticas e intelectuales y la destrucción de ciertos aspectos considerados patrimonio de la humanidad.

Sin embargo, a veces se tiene la sensación de que en determinados siglos las sacudidas de la historia han sido menos fuertes. Quizá porque estos siglos corresponden a períodos de desolación que van unidos a crisis generales acompañadas a su vez por regresiones demográficas.

En virtud de lo dicho hasta ahora, ¿es este último siglo –el siglo XX– diferente del resto? ¿Justifica su análisis histórico la utilización de métodos diferentes a los empleados para estudiar los siglos precedentes? Disponemos, en efecto, de una amplia información y de un número mayor de testimonios directos para llevar a cabo dicho análisis. Pero ¿es éste motivo suficiente para que sea enfocado realmente desde una perspectiva diferente, considerando una realidad específica?

La respuesta a estas cuestiones es afirmativa. En el transcurso del siglo XX, hemos asistido a un primer fenómeno sin equivalente en la fértil historia de la humanidad. Este fenómeno imprevisto, incluso increíble, se refleja en las curvas de evolución de la población mundial. Así, en 1900, el planeta tenía 1.634 millones de habitantes. En 1994, su número asciende a 5.607 millones, es decir, 3'43 veces más. En noventa años, por tanto, la población del planeta ha aumentado más del triple, lo cual no deja de ser extraordinario.

Es cierto que la población mundial conoció en el pasado épocas de fuerte crecimiento demográfico, especialmente cuando se producían avances técnicos importantes. Con la generalización de la agricultura y la ganadería en el cuarto milenio a.C., por ejemplo, la población se multiplicó por diez, pero esto sucedió en un período de diez siglos. El progreso de los siglos XIX y XII hizo que la población mundial se multiplicase casi por dos, antes de que se produjese una terrible crisis como consecuencia de los estragos derivados de la peste negra. Se estima asimismo que el crecimiento en el siglo XVI fue del 25 %, en el XVII del 18 %, en el XVIII del 24 %, y en el XIX se produjo una subida inesperada del 71 %.

Ahora bien, de 1.634 millones de habitantes en el año 1900, la población mundial habrá pasado a 6.127 en el 2000.

Con anterioridad a estas fechas, a lo largo de los siglos y milenios de su historia, la humanidad no había crecido jamás un 375 % en apenas 100 años. No cabe duda de que ésta es la especificidad fundamental del siglo XX con respecto a la historia, resultado de una fantástica revolución cuyas consecuencias son imprevisibles y, además, se desconocen. Imprevisibles porque no responden a las prospectivas de la escuela inmovilista del siglo XX que, como continuadora de Alvin Hansen, consideraba como probable una evolución en declive de las condiciones demográficas. Por otra parte, resultan desconocidas porque las cifras son sólo datos que deben ser analizados con cierta reserva. Por sí mismos, no explican nada. Además, tampoco se dan a conocer para suscitar temores, sino para plantear interrogantes.

Por tanto, si queremos tener una comprensión global del siglo XX, habremos de comenzar explicando la conexión entre este crecimiento de la población y el acontecimiento derivado de la primera revolución demográfica: la esperanza de vida casi se triplicó.

* * *

De manera simultánea, las últimas décadas del siglo XX están marcadas por un segundo fenómeno extraordinario sin precedentes en la historia: un descenso de la fecundidad a niveles inimaginables en el cuadrante más desarrollado del planeta. Y decimos inimaginables porque la historia del pensamiento demográfico, tal y como aparece reflejada en la mayoría de sus autores, revela que la evolución de la población es una ley natural que sólo puede estar marcada por un signo positivo. Ahora bien, con el descenso de la fecundidad, han aparecido signos negativos en diferentes países y regiones, aunque disimulados por las repercusiones que la mayor longevidad del ser humano y la inmigración tienen.

Por eso, tampoco podremos realizar un análisis prospectivo sobre el futuro si no consideramos la realidad de una segunda revolución demográfica –las bajas tasas de fecundidad– que ya ha empezado a manifestarse en algunos países en el último tercio del siglo XX. Estas bajas tasas de fecundidad, resultado de un descenso rápido en las curvas de fecundidad, se detectan sobre todo en esos países donde se han ido desarrollando los avances tecnológicos a lo largo de todos estos siglos pasados; avances que, por otra parte, han servido para paliar los desafíos del Tercer Mundo.

* * *

Aunque los dos fenómenos inéditos de la historia de la humanidad que han ido modelando el siglo XX –y cuyas consecuencias serán todavía más visibles en el XXI– inciden directamente sobre un mismo aspecto, el de los recursos humanos, son muy diferentes el uno del otro. La primera revolución resulta del increíble avance de la técnica y del cambio producido en el comportamiento humano. A medida que la técnica se propaga y las formas de vida evolucionan, esta revolución inicia todo un despliegue mecánico con una lógica casi sin fisuras.

La segunda revolución tampoco es fruto de la casualidad. No es una realidad surgida *ex nihilo,* sino que refleja simplemente unos modos de comportamiento diferentes, resultado a su vez de los cambios culturales acontecidos en la historia de la civilización.

El epicentro de la causalidad parece ser la pérdida del sentido de la continuidad, el refugio permanente en el instante, el rechazo a dejar que el tiempo y la vida vayan pasando. Según la mitología griega, ésta es la actitud adoptada por Cronos, que se negaba a dejar que el tiempo y la vida siguiesen su curso. Y para que nunca pudiesen sucederle, se iba ofreciendo un festín en el que devoraba a sus propios hijos, convencido de que la ausencia de un sucesor convertiría su reinado en eterno y mantendría su poder intacto. Entre 1819 y 1823, durante su época de infortunio, Francisco de Goya y Lucientes pintó al óleo un lienzo en el que representaba, bajo su nombre romano de Saturno, al horrible maestro de la cultura, con la boca ampliamente abierta, comenzando a devorar a uno de sus hijos con una enorme avidez.

En la actualidad, y a semejanza de Cronos, parece que las poblaciones de las sociedades más industrializadas no quieren dejar que los jóvenes ocupen su lugar, porque éstos son el espejo sobre el que se refleja el paso del tiempo. ¿Acaso piensan que, restringiendo la fecundidad, el tamaño del espejo disminuirá, y se podrán frenar los efectos del tiempo? ¿Cree, quizás, el *Homo sapiens* –¿o deberíamos decir *supersapiens o hipersapiens*?– alquimista de los tiempos modernos que padece el complejo de Cronos, que rechazando una descendencia capaz de garantizar la continuidad de la vida puede asegurarse la eternidad?

Si estas tendencias continúan, las consecuencias de la segunda revolución demográfica serán considerables, incluso irremediables, tal y como ha sido demostrado por Jean Bourgeois-Pichat en la revista *Population*. Se impone, por tanto, una reflexión sobre cuál podría ser la forma de impedir un despliegue más negativo de dichas tendencias. Dicho de otra manera, urge encontrar una respuesta a la siguiente pregunta: ¿cuáles son los valores sobre los que poder construir una civilización susceptible de perdurar?

* * *

Para responder a esa pregunta, sería conveniente que primero examinásemos el estado actual del planeta en su totalidad, porque la historia de las diferentes poblaciones europeas se inscribe en un conjunto mundial en el que la internacionalización de la información y la globalización de la comunicación ocultan a menudo las especificidades. Pero ¿por qué interesarnos por las poblaciones europeas cuando el único tema realmente importante concierne a la evolución de la especie humana en su conjunto? Para comprender la necesidad de realizar un análisis sobre Europa, deberíamos comenzar por desmitificar la tendencia a creer que los únicos datos socio-demográficos significativos son aquéllos que se relacionan con el planeta tierra en general, mientras que, por el contrario, la heterogeneidad y la discontinuidad de las realidades humanas, económicas y sociales reclaman análisis circunscritos a espacios definidos.

Así, a lo largo del capítulo 1, después de habernos alejado

del mito globalizante que, como todo mito, «no puede surgir de la naturaleza de las cosas» –retomando la expresión de Roland Barthes–, pasaremos a examinar justamente la naturaleza de las cosas. Pero no será posible realizar este análisis si no consideramos previamente las dos revoluciones desconocidas (capítulo 2), las características de la Europa *ridée* («arrugada», en español) (capítulo 3) y las características específicas de Europa Occidental y de Europa del Este (capítulo 4).

A continuación, y por encima de cualquier mecanismo técnico, el análisis de las causalidades con respecto a la demografía política nos llevará a plantearnos si la forma de actuación y comportamiento que se está dando en Europa no es comparable a lo que podríamos llamar una civilización del *ego* (capítulo 5).

«El siglo XXI será religioso o no será», dijo André Malraux. Nosotros formularemos este pensamiento de otra manera. El siglo XXI sólo será humano si está imbuido de verdaderos valores, e inhumano si los valores son falsos (capítulo 6).

Para terminar, señalaremos que, ante el nuevo siglo que comienza, el XXI, se impone un nuevo arte político. Frente a ideologías carentes de fundamento, frente a los peligros del fanatismo y de la tiranía, los hombres aspiran a ser libres y vivir en libertad. Pero ¿cómo realizar este ejercicio de libertad si se les ponen limitaciones mediante políticas coercitivas o, más habilmente, mediante políticas inexistentes e ineficaces?

* * *

A la vuelta de un milenio, los historiadores siguen dudando. Algunos, animados quizás por una especie de optimismo ingenuo, dijeron que estábamos asistiendo al «final de la historia». En un principio, creyeron que la muerte del marxismo significaría la victoria definitiva y universal de la democracia. Pero despertaron de su maravilloso sueño cuando vieron cómo los tanques entraban primero en Kuwait, aquel 2 de agosto de 1990, y posteriormente en los países del Báltico, el 13 de enero de 1991. Porque solamente podríamos hablar de *final de la historia* si se diese un *final de la humanidad*, es decir, si toda la humanidad se dejase llevar por el complejo de Cronos. Ya que, como escribió Jean Rostand: «al hombre se le permite cualquier esperanza, incluso la de desaparecer»[1].

La mitología griega nos enseña, sin embargo, que Rhéa, la mujer de Cronos, aporta un contenido diferente al festín de su marido. Ella consiguió salvar a su último hijo, que no fue otro que Zeus, ocultándolo y dándole en su lugar a su temido marido una piedra envuelta en una tela. Cronos, creyendo que estaba engullendo la comida que iba a preservar su poder, se la tragó y empezó a sentirse pesado y débil. Circunstancia que fue aprovechada por Zeus –criado en secreto en compañía de dos ninfas a los pies del Monte Ida, en Creta, y alimentado con miel salvaje y leche de la cabra Amaltea– para hacer frente a su padre, al que obligó a vomitar la *gran comilona* de sus festines, primero la piedra, y a continuación a sus hermanos y hermanas, los dioses del Olimpo, a los que finalmente liberó.

Vemos, pues, que fue su propia voracidad lo que acabó con Cronos. Porque Rhéa, que simboliza un sentido de la vida diferente al de su marido, supo hacer recaer lo desmesurado del festín de Cronos contra sus propios excesos, sirviéndose de una astuta estratagema.

La lección que debemos extraer de este mito es clara: no podemos ser prisioneros del destino. Y querer es poder, porque ya lo dijo Séneca: «no es que no nos atrevamos porque las cosas sean difíciles; sucede más bien al contrario, las cosas son difíciles porque no nos atrevemos».

---

[1] *Nouvelles pensées d'un biologiste*, París, Stock, 1947.

los tanques entraban primero en [illegible] el 21 de agosto de 1968, y posteriormente [illegible] los proyectiles [illegible] el 15 de enero [illegible] por [illegible] los libros [illegible] *Koloro* [illegible] la humanidad [illegible] por el [illegible] de Cronos [illegible] como [illegible] Jean [illegible] se le permite [illegible] capacidad, incluida la de imaginar [illegible].

[illegible]

[illegible] estaba ampliando la corrida [illegible] y empeñó hombres pesados [illegible] la [illegible] gente con [illegible] un sacerdote [illegible] a los [illegible] sol [illegible].

[illegible] la pintura [illegible] continuaba [illegible] hermanas, los dioses del Olimpo [illegible] a los que [illegible]. [illegible] Cronos [illegible] simboliza [illegible] de la vida [illegible] del [illegible] fiesta de Cronos [illegible] [illegible] ma.

[illegible] de los [illegible] es [illegible] [illegible] Séneca [illegible] que [illegible] sean difíciles sucede [illegible] contrario [illegible] cosas son difíciles porque no nos atrevemos».

[illegible] *Nouvelle [illegible]*, París [illegible]

1. La tierra y los hombres

El título de este capítulo recupera la maravillosa fórmula del último libro de Alfred Sauvy[1], publicado *post mortem*, sobre la relación entre la humanidad y la superficie en la que vive, tema no siempre enfocado desde una perspectiva científica.

La preocupación por el número de hombres que pueblan el planeta ha sido siempre una constante a lo largo de toda la historia de la humanidad. La encontramos ya en Atenas hace veinticinco siglos, en Londres en el siglo XVIII y, más recientemente, en los inicios de los años 70. ¿Debemos, por tanto, establecer una relación entre esta inquietud recurrente y determinados problemas reales o, por el contrario, simplemente pensar que son cuestiones míticas que se repiten en todas las épocas y en todas las civilizaciones?

La mitología, en tanto que ciencia de los mitos, nos traslada a los albores de la humanidad, cuando los dioses aportaban a los mortales los beneficios de la agricultura (Ceres), de la utilización de los metales (Vulcano), del comercio (Mercurio), o de las artes (Apolo). Aunque, en realidad, lo que estos mitos

---

[1] Alfred Sauvy, *La terre et les hommes,* París, Económica, 1991.

significaban era la llegada de colonizadores que hacían partícipes de sus conocimientos a pueblos todavía primitivos[2].

Cuando hablamos del mito de la *Belle Époque*, en el siglo XIX, nos quedamos únicamente con la imagen de los progresos evidentes de la industria y del arte del buen vivir, que hicieron más habitables las ciudades porque gracias a ellos pudo traerse el agua e implantarse una red de saneamiento y urbanismo, en el más amplio sentido de la palabra, pero que dejaban en un segundo plano la miseria de los campesinos sin tierra y de los obreros explotados.

Ahora bien, a veces los mitos pueden estar fundados en esos acontecimientos trágicos recurrentes a lo largo de toda la historia de la humanidad, que todavía no han desaparecido por completo en algunos lugares, a saber: la escasez de alimentos y el hambre atribuidos al excedente de población. Aunque los avances en el transporte han reducido considerablemente el riesgo de esta amenaza, ya que las sequías o las inundaciones están siempre localizadas.

Por ejemplo, si bien la Revolución de 1789 pudo estar ocasionada en parte por un problema de escasez de trigo, las medidas que se adoptaron en Francia para importarlo de fuera fracasaron a causa de la desorganización de los cuadros administrativos tradicionales, de los transportes y de la devaluación de la moneda de papel. De todo esto derivó una verdadera escasez de alimentos y la hambruna entre la población, que originó, a su vez, la justificación por parte de los Convencionales de la orden de masacrar poblaciones enteras, como en Vendée (cf. los escritos de Gracchus Babeuf).

Este tema de la superpoblación, en el pleno sentido de la palabra, sigue siendo en la actualidad uno de los mitos más tenaces. Porque, cuando se aborda la evolución demográfica,

[2] Pierre Descroix, «Guerres, populations et cultures dans l'Antiquité», en Gérard-François Dumont y Alfred Sauvy, *La montée des déséquilibres démographiques*, París, Económica, 1984.

siempre se plantea la cuestión de la abundancia, o mejor dicho, superabundancia de poblamiento.

Al respecto, el aumento de la población en algunos países del llamado Tercer Mundo ha originado la aparición de una literatura apocalíptica, según la cual cualquier ciudadano con sentido del deber tendría que esterilizar a sus hijos, si tiene la desgracia de tenerlos, y posteriormente desaparecer para dejar sitio... En opinión de algunos, la marea negra que a veces se extiende impetuosamente por el mar sería una nimiedad comparada con esta otra marea demográfica, cuyas consecuencias resultarían más graves que las de una guerra nuclear. Ya que, en lugar de referirnos a los riesgos de una eventual utilización de las bombas A o H, o de las armas químicas y bacteriológicas, tendríamos que hablar de los graves peligros de una bomba P (de población). La principal amenaza que pesaría sobre el planeta, por no decir la única, sería el número de hombres que lo pueblan, situándonos a las puertas de un verdadero desastre[3].

Existen asimismo algunas investigaciones universitarias consideradas rigurosas, que no han hecho sino reforzar el mito de la superpoblación. Por eso, para comprender mejor que este miedo no es característico de nuestra época, quizá convendría explicar que se inscribe en la línea de esos miedos que siempre reaparecen a lo largo de toda la historia de la humanidad y que, en cada época determinada, son puestos de manifiesto por analistas célebres.

A medida que analicemos los argumentos a los que se recurrió en otros tiempos para manifestar el temor por la evolución demográfica, iremos comprobando que los actuales no son totalmente nuevos.

Ante la pregunta sobre los argumentos en contra que tendremos que utilizar frente a los ideólogos de la inquietud demográfica de los siglos pasados, daremos respuestas sencillas

---

[3] Citaremos como ejemplo el siguiente titular aparecido en *France-Soir*, el 14 de mayo de 1991: «Alerta. Los bebés amenazan a la tierra».

que extraeremos de la misma evolución de la humanidad, tal y como veremos en este capítulo. Y más adelante, cuando examinemos dos teorías actuales que contribuyen a propagar el mito del excedente de población, nos plantearemos si debemos concederles algún valor o, por el contrario, rechazarlas en nombre del principio de la realidad.

Recordemos, en primer lugar, que el impacto del temor demográfico es antiguo. Ahora bien, en los textos de las grandes religiones, como la Biblia, el Talmud o el Corán, se rendía honores a la fecundidad, a la que se consideraba al mismo tiempo una bendición y un deber. Así, en el Génesis, después del diluvio, Dios dice: «Sed fecundos y multiplicaos» (I, 28).

La Grecia clásica

Los filósofos griegos van a formular una doctrina desfavorable al aumento de la población. El ideal demográfico de Platón es el de una población estrictamente estacionaria. Considera que las riquezas no son extensibles y que se debe fijar una cifra de población para los hombres libres, sin conceder demasiada importancia al número de metecos y de esclavos que pueda haber. En el libro V de *Las Leyes* precisa que la ciudad debe *«ajustar la cifra de los domicilios a cinco mil cuarenta»*. Pero no elige esta cifra al azar. Es divisible por todos los números del 1 al 12, excepto el 11, para así facilitar la tarea de la administración. Porque Platón es el teórico de una sociedad estatista en la que el poder central suplanta a la familia e impone un orden demográfico.

En consecuencia, al ser el estado el que sustituye a la familia, los individuos deben vivir en comunidad. «Las mujeres de los guerreros son comunes a todos ellos: ninguna de ellas vivirá en particular con ninguno de ellos; y de la misma manera, ni los padres conocerán a sus hijos ni los hijos a sus padres», escribe Platón en *La República.* El orden demográfico se mantiene mediante la imposición de medidas autoritarias y la implantación de lo que más tarde se conocerá como eugenismo, practicado en Esparta, que será uno de los tristes florones de la ideología hitleriana. «Según nuestros principios, las relaciones entre los hombres y las mujeres de élite deben ser frecuentes; por el contrario, las relaciones entre sujetos inferiores de uno y otro sexo serán mínimas», continúa en *La República*. Caso de considerarse necesario, la autoridad deberá restringir los nacimientos porque «el número de hogares que hemos delimitado debe seguir siendo siempre el mismo, no debe aumentar», afirma Platón en *Las Leyes (V)*.

Aristóteles adoptará los planteamientos demográficos de Platón, insistiendo todavía más en los riesgos económicos de una expansión demográfica. Así, en *La Política* (II, 6) escribe: «llegará inevitablemente el momento en el que los hijos de más no poseerán nada en absoluto». Y, para evitar esta fatalidad del crecimiento de la población, propone establecer un control de la procreación, al tiempo que invita a poner en práctica un cierto eugenismo cuando recomienda en *La Política* (VII, 16): «Deben adoptarse las medidas necesarias para que las cualidades físicas de los hijos engendrados respondan a los deseos del legislador». Resulta obvio, pues, que el estatismo demográfico viene de lejos...

Sin embargo, Platón y Aristóteles no necesitaron discípulos que aplicasen su política demográfica para alejar el mito de la superpoblación. Lo cierto es que Grecia tuvo que enfrentarse a una dura realidad, la despoblación, que trajo consigo su inmediata perdición. El mito no se mantuvo, y podría decirse que permaneció en el olvido durante veinte siglos.

Ingleses inquietos

Fueron los ingleses, en el siglo XVI, quienes reavivaron nuevamente este mito, a través de sus escritos, al insistir en el peligro de un superpoblamiento que pudiese destruir el equilibrio considerado como fundamental entre el posible crecimiento de la población y el de los medios de subsistencia.

Tomás Moro (1480-1535), en su libro *Utopía*, aparecido en 1516, manifiesta su temor por los excedentes demográficos y señala que el mejor de los gobiernos posibles sería aquél que velase por la evolución de la población. Ahora bien, las cifras que aporta revelan que sus conocimientos son bastante superficiales. Dice textualmente: «Para que la población no descienda, o no aumente de forma excesiva, se intentará que cada familia (hay seis mil familias por ciudad, sin contar con aquéllas que no tienen residencia fija) no tenga ni menos de diez hijos púberes ni más de dieciséis; el número de hijos impúberes es ilimitado». Lo cierto es que, en la Inglaterra de aquella época, una familia de clase media tenía aproximadamente 5 hijos, de los que sólo sobrevivían 2 ó 3.

En el supuesto de un excedente de población o, al contrario, si la población era insuficiente, Tomás Moro proponía que se organizasen migraciones en un sentido u otro, según el caso.

Francis Bacon (1561-1626), al desarrollar la teoría del razonamiento estático y de la idea fija, que son propios del malthusianismo, se está anticipando en cierta manera a la teoría de Malthus. En su *Essai des séditions et des troubles*, aparecido en 1598, escribe: «Como regla general, hay que procurar que la población de un país (a menos que esté abatida por las guerras) no exceda la producción que dicho país debe tener para mantenerla».

Thomas Hobbes (1588-1679), en su *Leviatán*, aparecido en 1651, trata también la cuestión de los recursos: «Respecto a la abundancia de la materia, la naturaleza la limita a los bienes que salen de los dos senos de nuestra madre común, a saber la tierra y el mar».

En esta misma línea, basta citar asimismo el título de un escrito de Jonathan Swift para imaginarnos el argumento: se trata de una «modesta propuesta para impedir que, en Irlanda, los hijos de familias pobres sean una carga para sus padres o para su país, y para hacerlos útiles a la comunidad de ciudadanos». Este texto fue publicado en 1729, pero revela más una sátira política que un pensamiento demográfico.

En este mismo siglo XVIII aparecen también los primeros descubrimientos de la técnica que van a ser el anticipo de la revolución industrial. Y, al contrario que los ingleses, los franceses de esta época serán más populacionistas y señalarán las alternativas para acrecentar las riquezas.

Citaremos al respecto a Charles Dutot (1738), tesorero de la Compañía de Indias, Louis Sébastien Mercier d'Argenson (1740-1814) y el Abbé de Saint-Pierre (1658-1743), los tres muy en la línea de Fenelón que en su libro *Las aventuras de Telémaco* (1699) afirmaba: «Si la tierra estuviese bien cultivada, habría alimentos para un población cien veces superior a la de ahora». Evidentemente, esa cifra de cien era simbólica. Pero, en 1766, el economista Auxiron no dudaba en establecer un máximo posible cuando señalaba que ese máximo sería de 140 millones para Francia, es decir, una población seis o siete veces superior a la que tenía en aquella época, lo cual equivaldría, en la actualidad, a una densidad de 230 habitantes por kilómetro cuadrado, inferior a la de Alemania, Bélgica y Holanda.

El terrible banquete

Tras los filósofos de la Antigüedad y los teóricos ingleses, Malthus (1766-1834) será el gran maestro de la tercera escuela histórica, para la que el crecimiento demográfico es un riesgo y la superpoblación absoluta una amenaza. El punto de partida de sus especulaciones fue la comprobación de la desigualdad existente entre el crecimiento potencial de la población, por un lado, y el de las subsistencias, por otro.

En su libro *Ensayo sobre el principio de la población* de 1798, el apólogo del banquete de la naturaleza ilustra el principio malthusiano: «Un hombre que nace en un mundo ya poseído, si sus padres no pueden alimentarlo, y si la sociedad no necesita de su trabajo, no tiene ningún derecho a reclamar la mínima porción de alimento y, en realidad, está de más en este mundo. En el gran banquete de la naturaleza no se le ha reservado ningún cubierto. La naturaleza le ordena que se marche y, a no ser que aquél pueda recurrir a la compasión de algunos convidados del banquete, no tardará en ejecutar su amenaza ella misma. Si los invitados se juntan más para hacerle un sitio, rápidamente se presentarán otros intrusos reclamando los mismos favores. La noticia de que hay alimentos para todos los que lleguen llenará la sala de numerosos candidatos. Se alterará el orden y la armonía del festín. La abundancia que reinaba al comienzo se tornará en escasez, y la alegría de los invitados se verá ensombrecida ante el espectáculo de la miseria y de la penuria que reina por toda la sala y ante los clamores inoportunos de los que, en justicia, están furiosos porque no se les dan los alimentos que tanto han estado esperando.»

El Malthus francés será Jean-Baptiste Say. En su *Traité d'économie politique* atribuye la miseria única y exclusivamente al fenómeno de la superpoblación: «... La población no sólo aumenta siempre tanto como sus existencias lo permiten, sino a veces todavía más». Y añade: «Incluso en las naciones más prósperas, una parte de la población muere cada año de pobreza», afirmación, cuando menos, discutible.

El temor a la superpoblación absoluta es, en efecto, una vieja historia que se repite a lo largo de los siglos, sobre la que vuelven a insistir numerosos autores después de ciertos intervalos. Por lo que no sorprende que el siglo XX tenga también sus teóricos ansiosos por recordar los límites llamados naturales y los riesgos de un superpoblamiento.

El malthusianismo tecnocrático

El neomalthusianismo del siglo XX está expuesto en dos informes. El primero es el de Paul Ehrlich, que en su libro *Población, recursos, medio ambiente* afirmaba en 1972: «Sea cual sea el momento, a mayor índice de población, menos posibilidades de vivir como reyes»; para continuar más adelante: «Se mire como se mire, el mundo está ya superpoblado.»

El segundo, que representa la culminación del pensamiento malthusiano del siglo XX, es un informe publicado ese mismo año bajo los auspicios del Club de Roma, que recupera el postulado de Malthus, pero con una fórmula que no manifiesta ninguna progresión en el lenguaje porque el vocabulario tecnocrático domina: «El crecimiento exponencial es una característica intrínseca de la población y del capital industrial, no de la tecnología. Y esto no es en absoluto una hipótesis arbitraria, sino un hecho corroborado por los datos empíricos y el conocimiento de las causas subyacentes.»

Esta fuerte afirmación está expresada en un estilo moderno que quiere parecer científico, mediante la utilización de fórmulas bastante herméticas, pero que se limita a retomar la ideología del temor a la superpoblación, esbozada con anterioridad por las tres escuelas históricas a las que hemos aludido anteriormente: la de la Antigüedad, la inglesa pre-malthusiana y la malthusiana. El informe del Club de Roma recurre a datos empíricos en apoyo de sus tesis, pero no puede justificar lo que no es sino una opinión filosófica.

Un espectro

Hasta ahora, los hechos se han encargado de desmentir las tesis malthusianas. Bien es cierto que la marcha de la humanidad no discurre forzosamente sobre un tapete dorado; siempre ha habido, hay y, desgraciadamente, seguirá habiendo familias pobres, así como dificultades derivadas de las condiciones climáticas, de las evoluciones del ecosistema y de políticas inadecuadas. Porque la perfección no existe en este mundo, y las cosas no siempre siguen una trayectoria positiva ni en el sentido que los ideólogos desearían, por muy buena voluntad que éstos hayan puesto.

Ahora bien, la lección que extraemos de la historia nos lleva siempre a la misma conclusión: las amenazas de superpoblación siempre han sido superadas porque, en realidad, se trata de un concepto abstracto, impreciso, un espectro que pone de manifiesto una especie de temor ancestral, un recuerdo de aquellas épocas de hambruna y escasez que no podían ser combatidas debido a la precariedad y a la insuficiencia de los medios de transporte.

La población del planeta ha mejorado considerablemente sus condiciones de vida desde la época del neolítico hasta nuestros días. Aunque no siempre somos conscientes de estas mejoras porque nos sensibilizamos más ante aquello de lo que carecemos que ante aquello que estamos disfrutando. Lo cual no debe llevarnos a pasar por alto la mejora de las condiciones de vida que la humanidad ha experimentado gracias precisamente al crecimiento demográfico. Mejoras que se han traducido en una mayor esperanza de vida, un aumento de los recursos naturales y un mayor control del medio ambiente.

Por supuesto, estas mejoras no son generales. Todavía hay muchas personas cuya situación ha sido y sigue siendo muy delicada: en Etiopía, en Uganda, en Sudán, en Mozambique, en Asia del Sudeste y en un país que nos queda más cerca, Rumanía. Y en estos países, el criterio demográfico no es determinante. Así, Etiopía, considerado durante mucho tiempo como el granero de África, se ha visto empobrecido por un sistema político de control de la población. Uganda, uno de los países africanos más ricos en cuanto a recursos se refiere, ha ido empobreciéndose por las continuas guerras civiles a las que se ve sometido, lo mismo que Sudán. El desorden y la corrupción han sumido a Mozambique en una guerra civil. Camboya ha sufrido el peso de una ideología totalitaria que ha querido borrar de un plumazo toda la cultura histórica del país. En Europa, el país que ha soportado la tiranía más detestable, Rumanía, es también el más empobrecido. La mortalidad infantil ha aumentado, lo cual es un claro indicio del deterioro sanitario al que ha llevado el empobrecimiento general del país. Y eso sin olvidar que, en 1987, el régimen rumano ideó un mecanismo cuya aplicación ha impedido que ahora se pueda valorar en la justa medida su nefasta actuación. Decidió no registrar los nacimientos hasta pasado el primer mes de vida, con lo que se evitaba el contabilizar los bebés que morían durante ese primer mes...

La cantidad y la continuidad

El acontecimiento demográfico más importante y extraordinario constatado a lo largo de los años en los que la población ha ido incrementándose es el del aumento de la esperanza de vida. Y si analizamos los crecimientos demográficos producidos desde el siglo XVIII, comprobaremos que dichos crecimientos no han supuesto en ningún momento regresiones económicas. Ha sucedido más bien lo contrario. A partir precisamente del siglo XVIII, y simultáneamente al aumento de la población, la mortalidad empezó a disminuir, y fueron surgiendo una serie de cambios sociales que contribuyeron, a su vez, a hacer más efectivos los esfuerzos en la lucha contra la mortalidad, al tiempo que produjeron numerosas transformaciones, entre las que citaremos las siguientes: en el campo de la nutrición, la propagación de la patata; en salud pública, la aparición de escuelas de enfermería, facultades de medicina y hospitales; en la red de transportes, la creación de canales, carreteras, etc.

El descenso de la mortalidad fue todavía más sensible en el

siglo XIX, con los descubrimientos de Lister (asepsia), Pasteur y Koch. Y todos estos acontecimientos dieron como resultado que, en apenas dos siglos, la esperanza de vida se duplicase en los países del Norte.

Mientras esto sucedía en el Norte, en el bloque de los países llamados del Tercer Mundo se produjo un aumento de población semejante, pero con un siglo de retraso y con variaciones entre los diferentes países, al tiempo que la esperanza de vida se alargaba entre 15 y 20 años.

La gran paradoja

Resulta evidente, por tanto, que existe una correlación entre el aumento de población en el planeta y la disminución de la hambruna. ¿No podría haberse producido igualmente un aumento de los recursos naturales?

El hombre siempre ha mostrado su preocupación ante el tema de los recursos naturales. Por ejemplo, Colbert, en Francia, ponía de manifiesto su temor por la carencia de madera cuando escribía: «Francia acabará por desaparecer debido a la escasez de madera.» Inquietud que encontramos asimismo en Inglaterra. Como la madera de los bosques se utilizaba tanto para hacer leña como para la industria, en particular la del hierro, estaba claro que iba a comenzar a escasear, sobre todo porque el aumento de población había agravado el problema de la deforestación. Y dado que ante cualquier necesidad el hombre siempre intenta buscar una solución rápida, se sustituyó la madera por el carbón. Pero su obtención planteaba otro tipo de problemas. Con la madera, el hombre tenía la energía al alcance de su mano, y los problemas para conseguirla eran limitados. Con el carbón, sin embargo, no sucedía lo mismo, ya que éste se encontraba en lugares más alejados de su entorno habitual. Apareció, pues, el ferrocarril, que significó, por una parte, la solución a los problemas planteados por el transporte de mercancías, y por otra, la desaparición de la institución de las nodrizas, al facilitar el traslado de la leche de Normandía a París.

Ahora bien, los temores no acabaron aquí. En el siglo XIX, el economista inglés William Jevons lanzó una señal de alarma diciendo que, debido a la escasez de carbón, la industria inglesa se vería obligada a parar su producción antes de 1900. Se optó entonces por utilizar petróleo, para así disponer de una mayor reserva de carbón. Pero, en 1972, el informe del Club de Roma difunde una noticia según la cual el petróleo se estaba agotando[4]...

En 1973, los países de la O.P.E.P. sacaron buen partido de este miedo, multiplicando por cuatro el coste del petróleo crudo. Y la revolución iraní de 1979 provocó una segunda crisis del petróleo, encareciendo todavía más dicho coste. A partir de 1989 se produce una bajada de los precios del petróleo, colocándose a un nivel inferior al que tenía antes de la primera crisis petrolífera, descenso que hubiese sido mayor si no llega a producirse la unión de los países exportadores. Comienzan a descubrirse otros recursos, como son los derivados del petróleo, energías alternativas, etc. El resultado es que las industrias pueden producir más con menos gastos energéticos.

Dicho de otra manera, a medida que la población iba en aumento, se producía asimismo un incremento de las necesidades, para las que había que buscar soluciones. Soluciones que favorecían una mejora de la calidad de vida de los pueblos. Al contrario, si no hubiesen surgido esas necesidades, el hombre no se habría esforzado lo suficiente en buscar nuevas formas de vida.

---

[4] Aunque, como escribía Yvonne Rebeyrol en *Le Monde,* el 24 de julio de 1991: «con anterioridad a esta fecha, en 1948, cuando estudiaba geografía general en la Sorbona, ya se decía también que habría escasez de petróleo en los próximos diez años». Y la guerra del Golfo no ha desencadenado ninguna penuria al respecto, a pesar de que dos importantes países productores, Kuwait e Irak, dejaron de exportar como consecuencia del embargo.

De todo lo anterior se infiere que en la actualidad disponemos de más recursos naturales que nunca. De dos siglos a esta parte, hombres cada vez más numerosos consumen cada vez más energía, pero se siguen encontrando recursos naturales. Esta es, pues, la gran paradoja de la humanidad, porque el hombre se muestra capaz de encontrar soluciones que le permitan consumir conforme a su conveniencia, siempre y cuando no se sienta asfixiado por los sistemas económicos y sociales.

Y en este mundo, el niño no es sólo un consumidor pasivo susceptible únicamente de contribuir a la disminución de unos recursos naturales que estarían limitados; al contrario, es un elemento activo de la población porque estimula a los adultos, como responsables que son de él, en esa búsqueda de innovaciones que sirvan para acoger a este nuevo ser.

La familia, el municipio y el Estado desempeñarán asimismo un papel muy importante. La familia, al tiempo que se amplía, irá modificando algunas costumbres para adaptarse al recién llegado. Por su parte, el municipio adoptará las disposiciones necesarias para responder a las necesidades de sus nuevos habitantes. Y el Estado buscará las mejores soluciones para dar entrada a los jóvenes que vienen detrás...

Ya sabemos que esto no se consigue de forma automática, en un solo día. Por eso conviene tener siempre presente que son precisamente los hombres los que guían a la sociedad y la estimulan hacia el progreso.

El hombre es creador

Si analizamos la historia de las últimas décadas, encontraremos bastantes ejemplos que corroboran lo que acabamos de señalar y que muestran cómo, al contrario, el descenso del número de habitantes es nefasto. Si bien es cierto que el aumento de la población no es un elemento que conlleve sistemáticamente una evolución económica favorable, no deja de ser revelador el comprobar que, tomando como ejemplo el desarrollo en los países del Tercer Mundo, el continente asiático ha progresado más en sectores donde numerosos países de África han fracasado. Sin embargo, analizada por los que se inquietan ante los riesgos de una superpoblación absoluta, Asia sufre un doble handicap porque está doblemente superpoblada: por una parte, su densidad de habitantes por kilómetro cuadrado es muy superior a la de África, y por otra, la densidad relacionada con la superficie de terreno cultivable es también dos veces superior a la de África. Aunque olvidan que es precisamente en Asia donde se han registrado las mejores tasas de crecimiento de las últimas décadas. Crecimiento que puede haber resultado de la presión demográfica desarrollada, la cual ha impuesto más esfuerzo y rigor, evitando la adopción de medidas económicas erróneas y favoreciendo que se haya evidenciado la necesidad de ocuparse primeramente de la agricultura. Y olvidan igualmente que algunos países asiáticos como China y Camboya, donde en un momento determinado se anuló a las clases productoras, han tenido que soportar grandes catástrofes.

Para comprender las desventajas derivadas de un índice de población insuficiente, tomaremos a Francia como ejemplo, país en el que los efectos del envejecimiento de la población empiezan a verse reflejados, desde el siglo XIX, en los retrasos que sufre su sector agrícola e industrial con respecto al resto de los países europeos (cf. el capítulo de Alfred Sauvy en *La France ridée,* Hachette, collection Pluriel).

Sería conveniente tratar a continuación dos asuntos cuya exposición es a menudo bastante ambigua.

Una cifra totalmente falsa

Aunque la realidad dista mucho de ser perfecta, los especialistas en transmitir el temor a la superpoblación deberían reconocer que el planeta en el que vivimos, con cinco mil millones de habitantes, es actualmente mucho más rico que en tiempos pasados, y que la calidad de vida ha mejorado.

Sin embargo, se siguen dando argumentos en contra desde dos frentes. El primero de ellos, que en realidad no es tal frente, pero la habilidad con que es presentado nos lleva a considerarlo como tal, está relacionado con el número de habitantes que pueblan el planeta. Y el segundo trataría más de sus repercusiones sobre el medio ambiente.

La técnica del primer pseudo-argumento consiste en analizar el crecimiento demográfico a partir de un enfoque apocalíptico, tal como sucedió en 1987 cuando los medios de comunicación anunciaron que había cinco mil millones de hombres sobre la tierra. Como dato pedagógico, esta cifra permite ciertamente determinar las obligaciones morales que cada hombre tiene con respecto al otro de respetar su dignidad como persona. Pero, desde el punto de vista demográfico, oculta realidades que a menudo se olvidan.

En primer lugar, nadie puede garantizar la veracidad de dichas cifras. Por ejemplo, incluso en un país como Francia, civilizado y con un registro civil avalado por siglos de tradición, no debemos olvidar que la incertidumbre respecto al número de habitantes es notablemente remarcable. Según el último censo, era de un 2 %, lo que representaría aproximadamente un error de más de un millón de habitantes. Si trasladamos esta cifra al conjunto del planeta, el error sería de cien millones de habitantes. Y esto sin olvidar que la mayoría de los países carecen de un registro civil cuya información sea segura; por eso, decir que el ser humano que hace el número cinco mil millones de habitantes nació en Yugoslavia el 11 de julio de 1987 es un «camelo». Dar esta información con varias semanas de antelación, es como afirmar que se puede prever el número de nacimientos y fallecimientos, ya sean estos últimos por muerte natural, por accidente o como consecuencia de la guerra Iran-Irak, por ejemplo. Lo cierto es que ni siquiera los institutos oficiales de estadística franceses –no olvidemos que en Francia la estadística existe desde hace mucho tiempo– están preparados para anunciar con unos meses de antelación el número aproximado de nacimientos, y eso que casi todos los embarazos son registrados en las *Caisses d'Allocations Familiales.*

En segundo lugar, no deberíamos olvidar que incluso la cifra de cinco mil millones de habitantes es inferior a las previsiones iniciales de la O.N.U. y se ha alcanzado a pesar de los pronósticos apocalípticos lanzados por el Club de Roma en los años 70. Esto significa que los esfuerzos realizados por los pueblos del Tercer Mundo, con la ayuda técnica de los países del Norte, han permitido un desarrollo real en numerosos países. Y aunque la pobreza es todavía la nota predominante en demasiadas regiones, no es menos cierto que se da especialmente en aquellos lugares en los que confluyen graves errores políticos, o como consecuencia de ciertas tradiciones culturales. Por otra parte, y a pesar de alguna que otra decepción, la revolución verde no es simplemente un mito, ya que ha contribuido enormemente al desarrollo de la producción alimentaria: la India, por ejemplo, país tradicional por sus plagas de hambre y miseria, en veinte años ha pasado a ser autosuficiente con creces, ante la sorpresa general, a pesar de las enormes dificultades para conseguir alimentos que todavía sufren muchos de sus habitantes.

En tercer lugar, una cifra absoluta no tiene sentido en sí misma. Para que la estadística sea exhaustiva, hay que considerar la repartición de los habitantes por edad, por nacionalidad y por región. Así, para demostrar hasta qué punto el mito de la superpoblación es falso, es suficiente recordar que si todos los habitantes del planeta vivieran en el espacio geográfico de América del Norte, la densidad de esa zona sería inferior a la de Alemania Occidental; y si viviesen en los Estados Unidos, la densidad sería inferior a la de un departamento como las Yvelines, que tiene amplias zonas rurales.

La mejora del medio ambiente

El segundo argumento se refiere a la relación existente entre el número de habitantes del planeta y el medio ambiente.

A finales del siglo XIX, la gente se preguntaba si Londres no correría el riesgo de desaparecer bajo el estiércol de las cuadras, que se multiplicaban con el aumento de los coches de caballo. Y en París, en el siglo XVIII, habida cuenta del método de evacuación de las basuras que entonces existía, el Sena debería haber degenerado en un inmenso cubo de basura susceptible de despedir olores putrefactos que hubiesen hecho insoportable la vida de millones de individuos.

Sin embargo, la realidad fue otra: anteriormente, la aglomeración de gente jamás había sido tan numerosa en París, pero nunca tampoco, hasta ese momento, las normas de higiene a las que debían someterse las industrias y los particulares habían sido tan estrictas.

Los proyectos para «mantener el Sena limpio» se respetaron, y este río alcanzó un nivel de limpieza notable, a pesar de que la producción industrial y las condiciones de vida de los parisinos supusieron también un nivel máximo de desechos industriales y domésticos. Y lo mismo puede decirse en relación a la mejora de la calidad ambiental: en Londres, gracias al *slogan* «mantengamos el ambiente limpio», que prohibía quemar carbón, desaparecieron las famosas nieblas londinenses. La calidad del lago Léman ha mejorado asimismo considerablemente gracias al desarrollo económico.

Este desarrollo ha sido, y sigue siendo, el medio para financiar las mejores armas con las que proteger el medio ambiente. Permite, por ejemplo, crear centros de depuración de las aguas potables y residuales. Incluso en los países del Tercer Mundo, la defensa del medio ambiente sólo será posible si se adoptan iniciativas para favorecer el desarrollo. En Tanzania, por ejemplo, país empobrecido por la actuación de políticas intervencionistas de signo marxista-leninista, se pone en peligro la raza de los elefantes. Y en Brasil, la gente se lanza a la explotación del Amazonas como si de un nuevo Eldorado se tratase. Si en estos países se impulsase de forma organizada la expansión de la agricultura y de las industrias manufactureras, sus habitantes dejarían de atentar contra la naturaleza. Pero esto implica una voluntad de desarrollo por parte de sus gobernantes en conexión directa con las realidades del país. Ningún destino fatal impide la mejora del nivel de vida de los países del Tercer Mundo, que tienen a menudo una fuente de recursos naturales considerable, como sucede con Zaire y Angola, a los que el Banco Mundial incluye, sin embargo, entre los países más pobres, hablando en términos de riqueza por habitante.

Lo que está claro es que la calidad del medio ambiente depende más de los esfuerzos de los hombres que del número de éstos: por ejemplo, un municipio de 10.000 habitantes puede estar más sucio que una ciudad de 100.000 habitantes. Y un fumador empedernido poluciona una habitación mucho más que cuatro personas que no fuman jugando a cartas; una motocicleta poluciona más que cincuenta ciclistas, etc.

Existe un indicador objetivo para medir el grado de polución. Si, como se afirma, ésta hubiese aumentado considerablemente en los últimos tiempos, la salud de los hombres se habría resentido notablemente. Bien es cierto que existen lugares donde la polución alcanza unos niveles demasiado altos, en los que los tribunales han obligado a indemnizar económicamente por los daños causados. Pero, excluyendo estos tristes casos específicos, al analizar las causas de mortalidad se observa un descenso de las muertes sobrevenidas por enfermedades infecciosas y un aumento de las enfermedades de la vejez. El cólera, por ejemplo, enfermedad derivada esencialmente de la polución, ya no constituye prácticamente un factor de riesgo de muerte en el mundo, exceptuando el caso de Perú en 1991 debido a las pésimas condiciones sanitarias del país. Y la esperanza de vida continúa aumentando tanto en los países industrializados como en los países en vías de desarrollo.

No cabe la menor duda de que debemos poner todos los medios a nuestro alcance para mejorar la calidad del aire y del agua. Aunque basta leer las novelas de finales del siglo XIX para ver que en aquella época las ciudades estaban muy contaminadas, y eso que el número de habitantes era menor que en la actualidad. Todos conocemos, desgraciadamente, playas muy contaminadas; pero también sabemos que hay otras playas y lagos menos contaminados ahora que en los años 60, ya que las modernas técnicas de saneamiento aplicadas han evitado que se utilicen los ríos y los mares como lugares de depósito de los residuos urbanos.

Aunque la polución sigue siendo un mal que hay que combatir, no hay pruebas de que este mal haya ido agravándose globalmente a lo largo de las últimas décadas. La mejora sanitaria de las condiciones de vida de los hombres parece corroborar más bien la tesis contraria. Sin embargo, la tarea permanente que nos corresponde a todos, responsables y ciudadanos, es la de luchar contra todo aquello que contribuya a dañar el medio ambiente.

La vieja historia del espectro de la superpoblación absoluta vuelve a ser un poco como el gran miedo del año 1000 (en el caso de que pueda decirse que, efectivamente, haya existido un gran miedo del año 1000). Una vieja historia que ya suscitó temores en la Antigüedad; temores que se reavivaron asimismo antes de la revolución industrial con los premalthusianos ingleses, y después de las revoluciones técnicas del siglo XX con los neomalthusianos tecnócratas, que parten de los mismos postulados erróneos que sus predecesores. Por supuesto que ha habido, hay y seguirá habiendo problemas demográficos. Pero no será posible avanzar hacia una mejor comprensión de los mismos si los encerramos en afirmaciones desconectadas con la realidad.

Es cierto que el futuro no va a ser forzosamente de color de rosa. Pero el número de hombres que pueblan el planeta no debe ser la cabeza de turco de todas las dificultades de la humanidad. Sólo el espíritu de iniciativa y la competencia de los seres humanos harán que ésta avance hacia adelante.

2. Las dos revoluciones desconocidas

Ningún aspecto fundamental de la vida humana ha cambiado en el período de tiempo que va del 1 de enero de 1901 hasta los años 90. Es cierto que ya no es el movimiento de los astros el que nos marca la medida del tiempo: nos remitimos más a la vibración del ion de cesio. Pero, para la mayoría, el ritmo de las estaciones sigue siendo el mismo, los días y las noches se suceden de forma alterna como siempre lo han hecho; la naturaleza continúa aportando su luz y su belleza; seguimos percibiendo la pluralidad de cambios climáticos que existen en el planeta, etc. Sin embargo, hay un ámbito esencial para el hombre que sí se ha visto modificado: el relacionado con el ritmo de la vida y de la muerte.

El principio y el final del hombre no son distintos a los de antaño. Como escribía en 1778 el primer gran demógrafo francés, Jean-Baptiste Moheau: «Siempre prevalece el mismo principio y el mismo final, una cuna y una sepultura». Ahora bien, las secuencias que separan estos dos momentos, el de la llegada del hombre a este mundo y su posterior partida, cuyo misterio no conseguimos desvelar, se han trastocado por completo. La manera en que van desarrollándose los acontecimientos de la vida no es la misma. Es cierto que todavía se hace referencia al antiguo ritmo demográfico, calificándolo a veces con el apelativo de antiguo régimen, pero esta terminología es demasiado empleada en política como para adoptarla en el caso que nos ocupa. Además, no debemos olvidar que la alteración del antiguo ritmo demográfico no va a ser consecuencia de la Revolución Francesa, sino más bien resultado de la pluralidad de cambios y conocimientos que se produjeron.

A mediados del siglo XX, y tras décadas de avances económicos y médicos, comienza a imponerse un nuevo ritmo demográfico, que irá ocupando el lugar del antiguo de forma progresiva, en el que la muerte ya no va a ejercer su dominio.

En los años sesenta asistiremos a la instalación de otro ritmo, que modificará por segunda vez en dos siglos el régimen demográfico por efecto de una segunda revolución. Señalemos que en Francia y en algunos países europeos ya se habían detectado con anterioridad ciertos signos precursores de dicho cambio.

En esta evolución general cada país, o cada territorio en particular, presentó y sigue presentando unas características especiales diferentes a las del resto. Pero, a la hora de analizar una cuestión que afecta a todo un continente, tendremos que describir necesariamente un proceso global, dejando a un lado las variaciones, a veces importantes, que se dan entre las regiones. Y como veremos en el capítulo 4, este análisis mostrará que Europa ha vivido su propia historia, con una dualidad cuyo peso se notó en el pasado y continuará siendo sensible en el futuro.

Permanencias

¿Cuál era entonces el antiguo ritmo demográfico del siglo XVIII, anterior a la primera revolución industrial? Sus características son sobradamente conocidas en la actualidad gracias a los estudios realizados por una rama de la demografía, la demografía histórica, cuyo origen se remonta a 1958, con la aparición de la monografía de la parroquia normanda de Crulai, realizada por Etienne Gautier y Louis Henry.

En uno de sus aspectos, el del orden de la vida, este ritmo demográfico era el mismo que había existido siempre en cualquier época y en cualquier país del planeta, salvo contadas excepciones, y que persiste todavía en la actualidad: por cada 100 mujeres, nacían 105 hombres. La constancia de esta cifra resulta tan extraordinaria e inexplicable, que en 1741 el primer demógrafo alemán, el pastor luterano Johann Peter Süssmilch, publicó sus trabajos relacionados con la población bajo el título *El orden divino,* en los que señala que lo único que podría justificar dicha permanencia estadística en los fenómenos demográficos sería la intervención divina.

No debemos tampoco olvidar otros aspectos relacionados con el orden de la vida que existieron en otras épocas y que se mantienen en nuestros días: la duración del embarazo, el ritmo de las ovulaciones, las edades de la menopausia, el envejecimiento ovárico que, se sabe, comienza en el quinto mes de vida fetal. Ni siquiera la edad de la pubertad ha cambiado, aunque varíe en función del clima y de las condiciones de vida.

Por lo tanto, lo que podríamos llamar biología de la vida, biología de la fecundidad de la mujer y del hombre, sigue siendo una permanencia. Es la misma que conocieron el hombre de la revolución neolítica y sus antecesores, los predadores.

La sociedad del siglo XVIII es, pues, parecida a la del XX, biológicamente hablando, ya que las condiciones biológicas que están en el origen de la vida son prácticamente las mismas.

El dominio de la muerte

La gran diferencia, el gran abismo que nos hace incapaces de comprender cómo las poblaciones de épocas pasadas podían soportar los ritmos demográficos que conocieron, es la muerte. En el siglo XVIII, como en todas las épocas, la muerte ha sido siempre un tema constantemente reflejado en los frescos, en los grabados y en los cuentos morales.

Un recién nacido de cada cuatro moría antes de llegar a su primer año de vida, y un niño de cada cuatro lo hacía antes de llegar a los veinte. De cada cuatro personas, sólo dos alcanzaban la edad adulta. Y en las regiones en las que la edad de la maternidad era mayor, en razón de un régimen de matrimonio tardío, como sucedía en Francia, el reemplazo de las generaciones suponía aproximadamente seis niños por mujer o sesenta niños por cada diez mujeres. Quince de estos niños morían en su primer año de vida, la mitad durante el primer mes y la otra mitad en los once meses siguientes.

La muerte llegaba en cualquier edad y en cualquier estación del año. Se tomaba la revancha con respecto a la vida acabando con la cuarta parte de la población durante el primer año de vida, varones en su mayoría, como tratando de reequilibrar ese índice de natalidad al que antes hemos aludido de 105 niños por cada 100 niñas. Y tenía asimismo sus preferencias estacionales. Los recién nacidos morían más en verano, y los ancianos durante los cambios de estación. Cualquier época de malas cosechas o cualquier desgracia epidemiológica favorecía que la gente muriese, por lo que los índices de mortalidad variaban continuamente. Y en caso de guerra, la situación se agravaba aún más, no tanto por las víctimas que la guerra en sí ocasionaba como por su efecto destructor de los territorios sobre los que se dejaba sentir, arruinando a la gente y haciéndola más vulnerable a las epidemias y a la desnutrición.

Cualquier cambio de las condiciones meteorológicas podía ocasionar una crisis agrícola, que acababa convirtiéndose en una crisis económica, de la que derivaba una escasez de los recursos alimenticios, agravada por la precariedad de los sistemas de almacenamiento y las escasas posibilidades de transporte, que apenas si permitían prever o responder a dicha crisis. Y sus consecuencias se dejaban sentir en el ritmo demográfico: la mortalidad aumentaba, especialmente la infantil, al tiempo que descendían la nupcialidad y la natalidad. La eventualidad de un segundo momento que significase un nuevo incremento de la nupcialidad y de la natalidad aparecía como una respuesta, como una reacción a la desgracia de la época anterior.

Parece que esta reacción es menos sensible cuando el aumento de la mortalidad sobreviene como consecuencia de una epidemia. En medicina se asegura que en toda enfermedad se conjugan tres factores: la herencia, el modo de vida y la casualidad[1]. Pues bien, cuando la desgracia es fruto de la casualidad, y por lo tanto incomprensible, el hombre tiende a adoptar una actitud más fatalista; sin embargo, cuando es fácilmente localizable –una mala estación, por ejemplo–, el hombre se enfrenta a la adversidad buscando soluciones que le permitan amortiguar los efectos de dicha desgracia.

Las realidades familiares estaban siempre dominadas por el ritmo de la muerte. Por lo que no resultaba extraño que los abuelos de los contrayentes ya hubiesen fallecido en el momento del matrimonio. Y en el régimen de matrimonio tardío, sucedía otro tanto con la mayor parte de los padres de los que se casaban.

Las tasas de mortalidad, lo mismo que las de natalidad, eran de dos cifras, rondando el 40 por 1000 aproximadamente. El índice de la población experimentaba variaciones al alza en los años favorables, y a la baja cuando la mortalidad había sido mayor debido a la hambruna, la guerra y las epidemias.

En definitiva, todas estas condiciones que confluyen en el antiguo ritmo demográfico determinaban que la esperanza de vida en esta época fuese muy corta: los treinta años. Debemos, pues, reconocer que la natalidad que ahora consideramos excesiva, y que fue la que compensó los efectos producidos por el alto índice de mortalidad, ha permitido que la vida haya perdurado hasta nuestros días. Por otro lado, no cabe la menor

---

[1] Guy de Thé, *Prevention et santé,* «Risques», n.º 4, enero 1991.

duda de que para nuestros antepasados esa natalidad debía ser normal, habida cuenta del índice de mortalidad existente.

Pero este ritmo demográfico al que acabamos de referirnos no se limita al siglo XVIII. Podemos remontarnos a tiempos más remotos para comprobar que sucedía algo parecido. Por ejemplo, un especialista en civilización etrusca escribe[2]: «*La longevidad media de los hombres era de 41'09 años; la de las mujeres, algo inferior –como sucedía en todas las culturas antiguas–, era de 40'37 años. Si bien estas cifras son sensiblemente superiores a las que se dan normalmente (25 años), se ajustan a las conclusiones recientemente establecidas para otros países o ciudades de la misma época: 45'2 para África del Norte, 36'2 para España, 35'7 para el Burdeos galorromano. Por supuesto, sólo tienen un valor aproximativo, ya que no consideran la mortalidad infantil, razón por la cual quizá deberían sufrir una reducción de un sexto. Pero adquieren todo su valor y muestran de forma sorprendente la vitalidad del pueblo etrusco.*»

La lógica del antiguo ritmo demográfico empieza a modificarse a finales del siglo XVIII. El cambio se produce primero en Europa, y posteriormente en los países más desarrollados de aquella época, como América del Norte. En el resto del mundo, la evolución comenzará a finales del siglo XIX, cuando se importen los métodos y modelos sanitarios europeos a lo largo de las sucesivas colonizaciones, y se desarrollará mucho más durante el siglo XX.

El ritmo demográfico de los años 1950 será, pues, muy diferente al del siglo XVIII, a pesar de las diferencias que se observan entre los distintos países, regiones y etnias en relación al inicio de dichos cambios. Por lo que sería conveniente que, antes de pasar a recorrer el laberinto que conduce al nuevo, examinásemos los resultados de ese ritmo demográfico.

---

[2] Jacques Heurgon, *La vie quotidienne des Étrusques*, París, Hachette, 1961, p. 45.

Tres muertes dominadas

El antiguo ritmo demográfico estaba dominado por la mortalidad. Al contrario, el nuevo lo estará por la fecundidad. Porque, en el siglo XX, la mortalidad ha retrocedido en tres frentes: mortalidad infantil, parto y mortalidad en la adolescencia. Y si a esto añadimos el descenso de la mortalidad después de los cincuenta, el resultado global es un extraordinario incremento de la esperanza de vida.

No cabe duda de que las dos evoluciones más espectaculares se observan en la mortalidad con relación al nacimiento. Los enormes esfuerzos realizados para controlar la espantosa mortalidad que se observaba entre los recién nacidos durante su primer año de vida han dado unos resultados tan espectaculares, que han pillado por sorpresa incluso a los más optimistas en la lucha contra la mortinatalidad. En los países más desarrollados, se ha pasado de 250 niños por cada mil que morían en su primer año de vida a menos de 10 por mil. ¡Un descenso del 96 %!

Asimismo, el parto era antes una aventura de alto riesgo, una especie de ruleta rusa con un cargador de cuatro agujeros. Sin embargo, se podría afirmar que, en la actualidad, esta aventura está ya dominada, racionalizada. Por supuesto, existe todavía un cierto temor al momento del parto, porque el riesgo para la madre, y posterior dolor para la familia, es casi del uno por cien. Pero es un miedo de diferente naturaleza. Por eso, el consejo que los neomalthusianos daban en 1892 respecto a lo que, en lenguaje contemporáneo, llamaríamos la I.G.R., es decir, la interrupción general de la reproducción, no tiene validez en la actualidad. El argumento que ellos daban en contra de la natalidad era el siguiente: «quien da la vida da la muerte».

Este aforismo sólo puede ser aplicado al antiguo ritmo demográfico, cuando la muerte se llevaba a la cuarta parte de los recién nacidos en su primer año de vida. Incluso a las madres, a menudo. Entre una y tres de cada cien mujeres podía morir en el momento del parto o durante los días posteriores. El mayor índice de mortalidad materna correspondía al alumbramiento del primer hijo, aunque cada parto significaba una situación de peligro para la madre. Con una media de cuatro a cinco hijos por mujer, la probabilidad de que una mujer muriese en el parto era, por tanto, de un 5 % a un 10 %[3]. Y este índice aumentó más cuando se extendió la costumbre de que las mujeres diesen a luz en los hospitales, hasta que Ignac Semmelweiss se sublevó contra la criminal indiferencia frente a la suciedad.

Esta obsesión por la mortalidad materna, que todavía existía a finales del siglo pasado, queda perfectamente reflejada en el terceto final de un soneto que el poeta Robert Van Der Elst dedica a una joven madre:

> «Al desafiar a la muerte con la maternidad,
> Usted siembra en el jardín de los demás
> su flor de esperanza y serenidad.»[4]

En el nuevo ritmo demográfico, sin embargo, la tasa de mortalidad materna, tan dolorosa para la familia que la padece, es mínima. Al respecto, los datos estadísticos de los países sanitariamente más avanzados reflejan que las causas más comunes de mortalidad entre las mujeres son las enfermedades del aparato respiratorio, los tumores y una decena de diferentes agentes más. En estos países, las muertes por complicaciones durante el embarazo, el parto o el período postparto son practicamente nulas. Lo que equivale a decir que la probabilidad de muerte por maternidad es inferior a cinco por diez mil. Si tenemos en cuenta que en el antiguo ritmo demográfico esa probabilidad era de quinientas mujeres por cada diez mil,

---

[3] Jacques Gelis, *L'arbre et le fruit*, París, Fayard, 1984, p. 345.
[4] Van der Elst, *Veilles et lendemain*, París, Paul Olendorff, 1900, p. 112.

debemos reconocer que se ha producido ciertamente un cambio considerable.

La incidencia de abortos espontáneos no parece, sin embargo, haber variado demasiado con respecto a épocas pasadas, siendo ésta otra de las constantes de la naturaleza a incluir en la lista de permanencias que hemos indicado anteriormente.

El tercero de los frentes en los que se ha conseguido obtener importantes avances es el de la mortalidad en la adolescencia. Antes, y tomando como referencia los niños que sobrevivían a su primer año de vida, la tasa de mortalidad era del 33 % entre 1 y 19 años. Con el nuevo régimen demográfico de la segunda mitad del siglo XX, esta tasa es inferior al dos por mil en los países más desarrollados, más baja incluso que la tasa de mortalidad infantil. Es decir, la mortalidad entre 1 y 19 años, que llegó a alcanzar a una tercera parte de los niños y de los adolescentes, ha descendido en una proporción de más del 99 %, proporción superior incluso a la de la mortalidad infantil (96 %). Estadísticamente, pues, la mortalidad en la adolescencia carece de relevancia. Y si sumamos las tasas de mortalidad infantil y adolescente, el total sigue siendo inferior a diez muertes por cada mil. Considerando que antes era de quinientos por mil, es decir, cincuenta veces más, podemos deducir que la mortalidad de 0 a 19 años ha descendido en un 98 %.

Por último, el cuarto frente en el que la mortalidad ha descendido es el de las personas mayores de cincuenta años, aunque en unas proporciones que no son comparables con los porcentajes que acabamos de señalar para las anteriores.

En fin, todos estos datos son tan espectaculares, que pueden resultar increíbles. De hecho, a veces no se tienen demasiado en cuenta. Sin embargo, son claramente el reflejo de una realidad tangible a la que podríamos calificar como «la destrucción de la muerte». En otras épocas, en una parroquia de 800 ó 1.000 feligreses, las campanas tocaban a muerto una media de una vez al mes, anunciando el fallecimiento de un niño o de un adolescente, y al menos una vez al año para anunciar la muerte de una mujer en el momento de dar a luz, o posteriormente. La muerte siempre estaba presente, tanto más cuanto que acechaba a un mundo en su mayor parte rural, caracterizado por el conocimiento personal y recíproco de sus habitantes. Su dominio era de tal magnitud, que los tintoreros, por ejemplo, tenían siempre colgados en sus fachadas carteles con la inscripción: «Lutos en 24 horas». Y este uso no desapareció hasta los años cincuenta.

A partir de la segunda mitad del siglo XX, la mortalidad dejó de marcar el ritmo de los días y de las semanas. No ha sido totalmente vencida, por supuesto, pero sí dominada y sometida. ¿A qué ha sido sometida? Esto es lo que examinaremos a continuación.

Los dos jinetes vestidos de blanco

En efecto, en la segunda mitad del siglo XX la mortalidad pasa de ser dominadora a estar dominada. Este es, sin duda, el gran cambio, la verdadera revolución demográfica comenzada a finales del siglo XVIII en Europa, y en el XIX en América del Norte, que se extendió poco a poco por todo el mundo, y cuyos efectos positivos todavía no han llegado a su término.

Nos encontramos, pues, ante un acontecimiento de extraordinaria importancia en la historia de la humanidad. Lo que yo llamo la primera revolución demográfica, aun a riesgo de que esta expresión parezca menospreciar los cambios acontecidos antes de la era cristiana.

En aquella época existían tres jinetes del Apocalipsis al servicio de la muerte: el hambre, la peste y la guerra. Por desgracia, éste último sigue sin ser sometido en la actualidad. Incluso podríamos afirmar que las guerras del siglo XX han sido las más sangrientas y crueles de toda la historia de la humanidad. Pero los otros dos jinetes han sido vencidos por dos caballeros vestidos de blanco: la economía, por una parte, y la higiene, resultado de una medicina finalmente eficaz, por otra.

El factor determinante central ha sido el progreso técnico, es decir, la utilización de nuevos procedimientos en el terreno agrícola y las innovaciones producidas en direcciones totalmente nuevas. A finales del siglo XVIII, la productividad agrícola aumenta en Inglaterra de forma considerable, al tiempo que se produce también un incremento de la capacidad alimentaria. El espectro de la plaga del hambre se irá alejando con el empleo de nuevas técnicas agrícolas y con los descubrimientos de nuevas formas de subsistencia (la patata, por ejemplo, cuyo cultivo se extiende en Francia gracias a los trabajos realizados por el farmaceútico Antoine Parmentier, con el apoyo de la familia real). Esto redundará en la aparición de condiciones más favorables para que el hombre pueda dedicarse al ejercicio de otras actividades diferentes a la agricultura, que surgen precisamente como resultado de dichas innovaciones.

La industria se pone en marcha con el desarrollo de la utilización de la energía. El crecimiento de la población había despertado una serie de temores ante la posible escasez de recursos naturales. Como respuesta a este fenómeno, el hombre reaccionará poniendo todo su empeño y capacidad en buscar soluciones innovadoras.

En el capítulo 1 señalábamos que el primer temor fue el de la carencia de madera. Dijimos que Colbert había escrito en aquella época: «Francia acabará por desparecer debido a la escasez de madera». En efecto, la madera de los bosques, utilizada no sólo para la construcción (de navíos especialmente, la gran precupación de Colbert), sino también para obtener leña, para la industria del hierro, de la cal, del vidrio, etc., comenzaba a escasear, por lo que se imponía la necesidad de buscar un sustituto; y se encontró en el carbón.

La explotación del carbón supuso la revolución del concepto de industria. Hasta ese momento, la única fuente de energía conocida era la que procuraban los diferentes recursos naturales, que el hombre encontraba con facilidad en cualquier lugar de su entorno más cercano: el agua de los ríos, los bosques, los yacimientos minerales de arena o de cal, transportados estos últimos por una caravana de carros tirados por caballos. Sin embargo, eran relativamente poco numerosos los lugares en los que se podía encontrar carbón y, a menudo, estaban inaccesibles. Las posibilidades de transporte que ofrecían los ríos eran, por otra parte, muy limitadas. Se creó entonces el ferrocarril, particularmente adaptado al transporte de mercancías, que transformará por completo la geografía económica y la demográfica.

Por consiguiente, estos avances económicos y médicos que están en el origen de la primera revolución demográfica modificarán el régimen de la mortalidad. Y el efecto positivo más inmediato será la desaparición de toda esa multitud de plagas que, en épocas anteriores, habían azotado regularmente a la población. Es cierto que todavía existían determinados azotes pasajeros: el cólera, por ejemplo, sustituye a la peste. Pero atrás quedaban aquellas épocas en las que el hambre y la escasez abundaban y se extendían de forma generalizada, hasta el punto de aumentar notablemente la tasa de mortalidad. Con estos avances, la tasa disminuye. En Inglaterra, por ejemplo, de 38'5‰ en 1740, pasa a ser de 27'1 en 1800. Y si a esto añadimos que, en este mismo país, la tasa de natalidad se estabiliza, situándose aproximadamente en el 39 ‰, la diferencia entre los dos términos es mayor, dando como resultado un importante aumento de la población, estimado en más de 3 millones, entre 1740 y 1800.

La mejora de las condiciones de vida y el desarrollo de la medicina supondrán pues un duro golpe para la mortalidad. Lo cual no debe resultar extraño porque, si la revolución demográfica desencadena la revolución industrial, lo lógico es que también se nutra de ella. Por ejemplo, el incremento de los productos manufacturados (principalmente las telas, al comienzo) y la disminución de los precios de fábrica permiten que el hombre pueda enfrentarse mejor a los rigores climáticos. Sin olvidar el beneficio que supuso la creación de redes de distribución de gas, agua y electricidad.

En el campo de la medicina, en China ya se conocían las vacunas, pero no sucedía lo mismo en el resto del mundo. Sin embargo, el inglés Edward Jenner (1749-1823) comienza en 1776 unas investigaciones encaminadas a encontrar una vacuna contra una plaga endémica, la viruela, que serían publicadas veinte años más tarde, en 1796. En el siglo XIX, Louis Pasteur (1822-1895), que en 1879 ya había conseguido aislar la vacuna contra el cólera de las gallinas utilizando microbios atenuados, tal como había hecho Jenner, tuvo la audacia de aplicar este método a personas afectadas por la rabia, iniciando con esta técnica lo que más tarde se llamará ciencia biológica. En 1860, el inglés Lister (1827-1912) recomienda el empleo del formol como método antiséptico, y el húngaro Semmelweiss (1818-1865) muestra cómo la limpieza corporal permite controlar la fiebre puerperal, que en aquella época era una verdadera plaga en las maternidades.

Las investigaciones que se realizan, y que son la base de los avances producidos en la industria química a finales del siglo XVIII, permiten, por vez primera, descubrir remedios realmente eficaces, que posteriormente serán utilizados en medicina a gran escala. Así, los farmacéuticos Pierre Pelletier (1788-1842) y Caventou (1795-1877) extraen los principios activos de algunas plantas, –la quinina, por ejemplo– cuyo empleo resulta altamente beneficioso para combatir el paludismo.

Como primer continente que consigue vencer en la lucha contra la mortalidad, en Europa se produce un crecimiento de su población como nunca antes se había conocido, a excepción de la Francia malthusiana. Más tarde, Europa llevará sus innovaciones al resto del mundo, especialmente a sus colonias, que experimentarán a su vez un importante incremento de su población. Así, en el período comprendido entre 1750 y 1950, la población europea (Rusia incluida) pasa de 146 a 572 millones (más del 292 %); la de América del Norte de 3 a 166 (más del 5.433 %), aunque bien es cierto que esto sucede en gran parte gracias a la emigración europea; la de América Latina de 15 a 165 (más del 333 %); la de Asia (sin incluir la parte rusa) de 500 a 1.366 (más del 173 %). Estas tasas de progresión tan espectaculares son, en definitiva, resultado de los avances registrados como consecuencia de la primera revolución demográfica.

Lo «nunca visto»

En los países industrializados, sin embargo, esta primera revolución demográfica va a perder todo su carácter espectacular durante los años 60 porque, para entonces, ya había llegado prácticamente a su término en casi todos ellos, con diferentes evaluaciones según los países. La llamada teoría de la transición demográfica[5] explica formalmente esta evolución progresiva.

Incluso antes de que estos períodos de transición hubiesen finalizado en todos los países del mundo, el término *transición demográfica* ya resulta inadecuado para hacer referencia al paso de un estado de equilibrio a otro estado de equilibrio. Porque ni el antiguo ritmo demográfico había estado marcado por un estado de equilibrio, ni siquiera cuando el balance de las diferentes oscilaciones de la natalidad y la mortalidad era equilibrado, ni el nuevo ritmo demográfico se fundamenta en un régimen equilibrado. Sugiere más bien una nueva revolución, la segunda revolución demográfica. Y, como sucedió con la primera, dicha revolución estará sometida a un nuevo control, el de la fecundidad. Aunque este control será mucho más difícil de analizar porque se inscribe en un contexto sociológico y familiar nuevo.

¿Cuáles son, pues, las características de esas poblaciones en

[5] Jean-Claude Chesnais, *La transition démographique,* París, P.U.F., 1986.

las que se ha desarrollado el proceso de la segunda revolución demográfica? La característica central es un descenso de la fecundidad por debajo del reemplazo de las generaciones. Es decir, el patrimonio biológico y cultural de una comunidad humana va a ser transmitido a otra comunidad menos numerosa. De ahí la inquietante pregunta de Pierre Chaunu: ¿acaso una generación puede transmitir la totalidad de su herencia cultural a otra menos numerosa? ¿No podríamos comparar esta herencia con una carrera de relevos de cuatro por cuatrocientos? Imaginemos diez equipos participando en esta carrera. En el último relevo, de diez corredores que deberían haber llegado a la meta, sólo lo hacen nueve: el décimo equipo ha perdido su relevo.

Cambio de las estructuras sociales

El descenso de la fecundidad acontecido en los países industrializados durante varias décadas no llamaba especialmente la atención porque, en el marco de la primera revolución demográfica, iba acompañado de un descenso de la mortalidad. Sin embargo, hay que decir que, en los años 70, la baja fecundidad llega a unos niveles espectaculares por su rapidez e intensidad, descendiendo por debajo del reemplazo de las generaciones. En algunos países, el nivel alcanzado es del 38 % por debajo de dicho reemplazo, y en algunas ciudades del Norte de Italia y Alemania llega al 50 %.

Los datos estadísticos disponibles jamás habían registrado unas cifras parecidas. Y resultan realmente desconocidas, a menos que aceptemos que la desaparición brutal y enigmática de algunas civilizaciones, las de América Central por ejemplo, pudo haberse producido, entre otras causas, porque dichas civilizaciones consiguieron un día controlar la concepción.

No cabe duda de que, en la escala del tiempo demográfico, cuya unidad de medida es de treinta años, no ha transcurrido el tiempo necesario para poder evaluar las consecuencias de la baja tasa de fecundidad actual, pero lo cierto es que en los países afectados ya ha dejado su huella en la pirámide de las edades. Y, cualquiera que sea el futuro, la intensidad y la rapidez de esta baja tasa de fecundidad hacen de ella un «fenómeno sin precedentes en la historia»[6]. Aunque no debemos olvidar que hubo un cambio de ritmo demográfico en una etapa intermedia, en la que el nivel de fecundidad era suficiente para asegurar una reproducción superior a la unidad y la del último tercio del siglo XX en los países más ricos, en los cuales la fecundidad es, desde hace varias décadas, muy inferior a la unidad.

Esta evolución de la baja tasa de fecundidad está asimismo acompañada de nuevas actitudes frente al matrimonio, número de hijos deseados, etc. Es decir, lo «nunca visto» se ha hecho posible. Si en 1950 cualquier autor hubiese vaticinado para 1994 las realidades familiares que constatamos en la actualidad, posiblemente se habrían burlado de él. Ni siquiera George Orwell podía imaginar tal trastocamiento en la sociología familiar cuando escribió *1984*. Sin embargo, se ha producido lo imprevisible. La nupcialidad ha descendido considerablemente, el número de nacimientos fuera del matrimonio ha aumentado, aunque todavía está lejos de equilibrar la baja de los nacimientos legítimos, y el divorcio y las uniones libres son muy habituales.

El descenso de los matrimonios es, en efecto, claro e inédito. La baja tasa de nupcialidad se sitúa en un 20-30 %, e incluso más según los países. Cada vez hay más adultos solteros, con la característica novedosa de que muchos de ellos deciden cohabitar y tener hijos, beneficiándose además de ciertas aplicaciones indulgentes que establecen algunas de nuestras reglamentaciones.

---

[6] Título del capítulo de Pierre Chaunu en Gérard-François Dumont, *La France ridée*, París, Hachette, col. Pluriel, nueva edición, 1986.

Antes, la mayoría de los nacimientos se producían dentro del matrimonio. Incluso, a veces, éste debía celebrarse de forma acelerada porque ser madre soltera representaba un fracaso social. Marcel Pagnol lo refleja con el personaje de Fanny. Pero los tiempos han cambiado. Ahora, el o los nacimientos preceden a veces al matrimonio, y son cada vez más numerosas las personas que deciden casarse precisamente para que los hijos nacidos con anterioridad sean reconocidos legítimamente. Así, en Francia, en los últimos seis años, el número de estos matrimonios ha aumentado un 96 %, pasando de 26.444 en 1982 a 51.807 en 1991, prueba manifiesta de la preocupación por dotar a la familia, antes o después, de un marco jurídico seguro[7].

En épocas anteriores, los embarazos eran también más frecuentes durante los primeros meses de matrimonio. En la actualidad, sin embargo, se producen tanto en el primer año de matrimonio como en los dos o tres posteriores[8].

Junto a la baja tasa de fecundidad y de nupcialidad, debemos destacar igualmente el aumento de la tasa de divorcios, con la característica de que los divorciados muestran cada vez menos deseos de volver a casarse. De donde resulta un considerable aumento de las familias monoparentales. En los Estados Unidos, se estima que una cuarta parte de las familias lo son. En Francia, en 1977 se creó un subsidio llamado *parent isolé,* cuya finalidad era ayudar a los padres y a las madres viudos, divorciados y separados que estuviesen solos en el cuidado de los hijos, incluyendo en esta ayuda a los solteros. El número de beneficiarios de este subsidio ha aumentado muy rápidamente, multiplicándose por dos en diez años, según se desprende de un estudio monográfico realizado sobre un departamento francés. Aunque lo más espectacular es el desglosamiento de este incremento: la mayor parte de los beneficiarios

---

[7] *La population en France en 1990,* París, A.P.R.D., 1991, p. 3.

[8] Guy Desplanques, N. de Saboulin, *Mariage et premier enfant, un lien qui se défait,* «Economie et Statistique», n.º 187, abril 1986.

son «solteros», mientras que la evolución de las otras categorías es representativa de los cambios sociológicos; el número de mujeres separadas no varía, el de las viudas disminuye, y el de las divorciadas y abandonadas va en aumento.

Y todo esto sin olvidar la baja tasa de fecundidad señalada, que no puede ser disociada del contexto general porque está estrechamente ligada a él.

En resumen, el tan destacado –y no menos deseado– descenso de la mortalidad va seguido de una segunda revolución que representa la entrada en lo que yo llamo *el invierno demográfico.* Y así como un termómetro bajo cero impide el deshielo y posterior recalentamiento de la atmósfera, de la misma manera una fecundidad con una tasa de reproducción inferior a la unidad no permite que se produzca el reemplazo de las generaciones.

El mecanismo de la segunda revolución

¿Cómo podemos explicar esta fecundidad tan baja? Más adelante nos referiremos a las razones sociológicas y políticas susceptibles de hacernos comprender la cadena de causalidades que confluyen en dicho descenso. Ahora nos limitaremos a señalar el mecanismo de la segunda revolución demográfica.

Antes de que ésta se produzca, y no olvidemos que comienza en el norte de Europa a mediados de los años 60, existía un porcentaje nada despreciable de nacimientos que realmente no habían sido deseados. Lo cual no significaba que estos hijos fuesen menos aceptados y amados que los otros. De hecho, no creo que nadie pueda establecer, con respecto a las generaciones pasadas, una frontera entre los hijos plenamente deseados y los engendrados sin haber manifestado previamente el deseo de tenerlos. La fecundidad entraba entonces dentro del dominio de lo posible, de lo aleatorio más o menos aceptado. A excepción de las parejas estériles, la decisión de no querer tener hijos debía ser realmente deseada, ya que la seguridad de excluir un eventual nacimiento imponía el recurso a determinados métodos contraceptivos tradicionales.

Sin embargo, con el desarrollo y la difusión de técnicas contraceptivas totalmente eficaces y operativas, y con el enmascaramiento del aborto como acto terapéutico, la situación se ha invertido, desencadenando una segunda revolución demográfica. En la actualidad, la decisión de querer tener hijos debe ser deseada, programada y aceptada. Y esta decisión no está exenta de cierta dosis de fragilidad, ya que, antes de que llegue a buen término, debe ser reafirmada durante el largo período de tiempo en el que todavía es posible cambiar de opinión. Un período de varios meses en los que no sólo el entorno psicológico, sino también los propios efectos de la biología sobre la fisiología son susceptibles de modificar la decisión inicial.

De esta manera, todos aquellos hijos cuya llegada no es ni deseada ni firmemente querida durante varias semanas o meses sencillamente no nacen. Incluso los hijos deseados corren el riesgo de no nacer, salvo casos relativamente limitados, si no entran dentro de un proyecto familiar de procreación estable. Porque, durante el período en el que la mujer descansa de los anticonceptivos, o durante las semanas que la ley u otros «circuitos especiales» fijan como plazo para recurrir al aborto, ese deseo puede cambiar todavía varias veces. El hijo ni siquiera puede ser fruto de un deseo pasajero; sólo se le permite nacer si se inscribe en un proyecto previamente programado.

Dejando, pues, a un lado cualquier juicio moral sobre las técnicas modernas de contracepción y aborto, es indudable que su efecto es tan poderoso que ha invertido el proceso de los nacimientos: aquéllos que antes eran fruto de un deseo temporal o de una casualidad más o menos aceptada, ahora no se producen.

El mecanismo demográfico del que hablábamos al comienzo de este apartado –la revolución de los elementos del acto de procreación– es evidente. Y lo es porque existe una correlación entre la difusión de dicho mecanismo y la entrada de determinados países en el invierno demográfico al que antes hemos aludido. En Francia, por ejemplo, el departamento de la Vendée alcanzó la baja tasa de fecundidad en 1983, diez años después de la media nacional (1974). En Europa, países como Italia, España y Portugal se situaron por debajo del índice de reproducción inferior a la unidad con posterioridad a Alemania, Suecia y Reino Unido, porque las técnicas que acompañaron a la segunda revolución demográfica se difundieron en los primeros más tarde.

Sin embargo, a pesar de las diferencias de fechas, en todo el universo de Europa Occidental se ha experimentado la misma evolución. Y si existen diferencias con Europa del Este, se debe únicamente al proceso histórico que dividió el continente en dos durante cuarenta y cinco años. Pero examinemos primero la evolución de Europa Occidental. Aunque fue la iniciadora del proceso de las dos revoluciones demográficas, conviene matizar algunas especificidades.

3. La Europa *ridée*

Comenzaremos citando dos frases, una pronunciada por Raymond Aron, y la otra por Michel Rocard. En el epílogo de su libro póstumo, el gran filósofo y sociólogo francés escribe:

«Los Europeos están suicidándose a causa del descenso de la natalidad.»[1]

Y el entonces Primer ministro Michel Rocard, al terminar la conferencia «de las familias», el 20 de enero de 1989, declaraba:

«La mayor parte de los países de Europa occidental están suicidándose demográficamente, sin tener siquiera conciencia de ello.»

Dos frases terribles, pero convergentes, pronunciadas por un intelectual y un político. ¡Las consecuencias derivadas de los acontecimientos demográficos pueden ser tan considerables que incluso dos altas personalidades lanzan la señal de alarma utilizando palabras tan fuertes y comprometidas!

Y como las evoluciones demográficas se miden a largo plazo, podemos afirmar que este posible «suicidio» ya está, de hecho, precedido de una fase anterior, el envejecimiento de la población.

En 1977 propuse que se definiese al continente europeo atri-

---

[1] Raymond Aron, *Cinquante ans de réflexions politiques*, París, Julliard, 1983.

buyéndole un adjetivo que caracterizase a su población, y adelanté el término de Europa *ridée* («arrugada», en español)[2]. Muchos me echaron en cara el querer utilizar una expresión sediciosa.

Ojalá lo hubiese sido. Pero lo cierto era que a Europa empezaban a salirle ya unas arrugas que han ido acentuándose con el paso del tiempo. Hasta el extremo de que, en 1989, el gran vespertino francés[3] no dudó en titular uno de sus cuadernos de economía de esta manera: «el declive demográfico en Europa». Declive que pasó a ser una constatación a partir de entonces, aunque conviene matizar que todavía no debemos hablar de decadencia. El declive puede acabar en decadencia, pero no es menos cierto que puede producirse también un resurgimiento que facilite la superación de dicho declive.

Casi todas las cifras de población europeas muestran, en efecto, una evolución negativa. Por lo que es indispensable tener un buen conocimiento y una buena comprensión de los datos para medir la importancia del declive que contribuye al «aumento de los desequilibrios demográficos».

¿Qué significa la expresión *desequilibrios demográficos?* Desde que se utilizó por vez primera como título de un coloquio celebrado en 1982, y posteriormente de un libro publicado en 1984[4], esta expresión ha tenido un notable éxito. El libro pretendía poner de relieve una constatación: el desequilibrio que se observaba en los principales datos de evolución de la población –de la fecundidad, especialmente– entre zonas geográficas vecinas. Calificaba al Mediterráneo como *el gran lago de los desequilibrios demográficos,* debido a las evoluciones tan opuestas que se observaban entre sus orillas del noroeste y las del sudeste.

---

[2] Término tomado del título del libro que entonces estaba escribiendo *La France ridée.*

[3] *Le Monde,* 25 de abril de 1989.

[4] Gérard-François Dumont, Alfred Sauvy et al., *La montée des déséquilibres démographiques,* París, Economica, 1984.

En los años 90, este fenómeno de los desequilibrios demográficos sigue manteniéndose en toda su amplitud, fundamentalmente por dos razones. La primera está directamente relacionada con la naturaleza misma de los datos de la población. Estos se inscriben forzosamente en un marco de resultados a largo plazo, ya que, en demografía, la unidad de análisis corresponde a un período de 30 años, es decir, la distancia que media entre una generación y otra. Por lo que no nos cansaremos de repetir que los europeos que nazcan hoy formarán la Europa del año 2025, justo cuando el primer cuarto del siglo XX haya terminado. A diferencia de las campañas electorales, en las que siempre hay una fecha límite que obliga a menudo a hacer reflexiones a corto plazo, la vida de las familias tiene un horizonte de vida mucho más amplio y se desarrolla en la continuidad. Por eso, si nos atenemos al ritmo específico de los temas relacionados con la población, observaremos que no hay posibilidades de que se opere ningún cambio considerable al respecto, a menos que, de aquí a unos años, intervengan algunos factores de signo positivo o negativo: una revolución médica, epidemias, guerras sangrientas, legislaciones especiales... De donde se desprende que, en la actualidad, la historia de Europa se inscribe en un mundo marcado por el incremento de los desequilibrios demográficos.

La segunda razón que explicaría la permanencia de dichos desequilibrios está en línea directa con los factores de evolución. Durante los últimos años, éstos no han registrado apenas modificaciones hacia un reequilibrio. Ha sucedido lo contrario, las modificaciones han confirmado todavía más dichos desequilibrios.

Sin embargo, antes de hablar de la Europa de finales del siglo XX, convendría recordar algunos datos históricos que ayuden a comprender la actual situación demográfica.

En Francia, una fecha de referencia sería la del 14 de agosto de 1772, cuando el abbé Terray, inspector general, pidió a los intendentes estadísticas regulares del movimiento de la población, avanzando lo que en 1791 sería el primer censo nacional, que facilitaría, a partir de entonces, el conocimiento de la evolución del movimiento nacional de la población. A diferencia de los datos sobre la evolución del movimiento migratorio, que no se realizarán hasta pasado el año 1850. Francia era la gran potencia demográfica de la Europa del siglo XVIII, a la que habría que añadir un determinado número de Estados, de dimensiones geográficas mucho más pequeñas, a excepción de Rusia. Alemania no existía como tal, e Italia tampoco. La lengua francesa era la lengua de la diplomacia, incluso en la otra gran potencia europea, Rusia. El único que escapaba a este dominio era el imperio austro-húngaro, estado federal que agrupaba diversas poblaciones.

Así pues, a pesar de las importantes diversidades lingüísticas y los numerosos particularismos culturales, la Europa de la cultura era preponderantemente francesa.

El final de la Europa «francesa»

Esta Europa acabará por desaparecer porque el país que llevaba la dirección en aquellos momentos va a perder su fuerza como consecuencia de dos fracasos demográficos. El primero, perfectamente señalado por Alfred Sauvy[5], acontece en el siglo XVIII. Y el segundo, que se inicia en la segunda mitad del siglo XVIII, adquiere toda su dimensión en el XIX.

En el siglo XVIII, Francia conquista importantes territorios en América. Pero no sabe utilizarlos ni ocuparlos, por lo que, frente al millón de ingleses que había en América, en 1756 los franceses apenas llegaban a los 70.000. Esta actitud francesa tendrá un papel decisivo en la evolución cultural del planeta.

Simultáneamente a este hecho, Francia es el único país europeo que pone en práctica el método malthusiano de restric-

---

[5] Alfred Sauvy, *L'Europe submergée*, París, Dunod, 1987.

ción de los nacimientos. Por eso, el índice de natalidad sufrirá un duro revés a partir de 1770, y la fecundidad (legítima) empezará a disminuir. Ni siquiera el aumento de nacimientos ilegítimos podrá compensar esta fecundidad. Lógicamente, este giro demográfico no pasa inadvertido. De ahí la famosa frase pronunciada en 1778 por Moheau, el primer demógrafo francés al que hemos aludido al comienzo del capítulo 2: «Hasta en los pueblos se engaña a la naturaleza». Y como muestra de este desarrollo del espíritu malthusiano, citaremos un ejemplo local: en 1852, el consejo municipal de Versalles decidió otorgar un premio a la continencia, cuya obtención estaba subordinada al «número moderado de hijos del vencedor». En consecuencia, la relevancia de Francia en Europa empezará a disminuir, y el envejecimiento de su población colocará a este país en una situación de inferioridad respecto de otros países europeos. La derrota de 1870 simbolizará el final de la Europa continental de predominio francés y dará paso al surgimiento de dos nuevas potencias europeas, Alemania e Italia.

Los cambios acontecidos a lo largo del siglo XX serán tan considerables que Europa, continente que dominaba el mundo a comienzos de este siglo, irá convirtiéndose en una simple provincia de un planeta metamorfoseado en el que emergen nuevos polos, y donde Estados Unidos y la URSS se colocan en lo más alto de la cumbre, tras haber conquistado y colonizado, cada uno por separado, un espacio mayor que el suyo propio.

Cuatro secuencias en el siglo XX

Cuatro son las secuencias que se suceden a lo largo del siglo XX en este proceso de cambio del papel desempeñado por Europa en el mundo.

La *primera secuencia* engloba los quince primeros años de este siglo, años en los que Europa todavía domina demográficamente el mundo. En esta época, la esperanza de vida de la población es mayor como consecuencia de la primera revolución del ritmo demográfico. Los europeos empiezan a emigrar a otros países, especialmente a Estados Unidos. Y es tal la avalancha de gente que llega a este país, alrededor de un millón de personas al año, que en 1917 y 1921 se imponen las primeras leyes restrictivas. Al respecto, Francia será el único país europeo al que llegará población inmigrante de los países vecinos. En realidad, esta primera secuencia no se inicia exactamente en 1900, sino unos años antes, entre 1880-1885. Y durará aproximadamente toda una generación, que comprenderá unos 20 ó 30 años, tal como sucederá con las otras secuencias.

La *segunda secuencia* corresponde al período entre las dos guerras mundiales. Con un siglo de retraso con respecto a Francia, el malthusianismo, el mal francés, se fue infiltrando en las otras potencias colonizadoras, y en especial en Europa central, a partir de 1880. Así, la Alemania de 1933, con Hitler en el poder, es un país envejecido, cuya fecundidad es tres veces menor que a principios de siglo (la proporción es de 1'6 hijos por mujer frente a 5'0 en 1900). Viena y Berlín encabezan la lista de la baja tasa de fecundidad. Como se sabe para asegurar el reemplazo de las generaciones debe haber una tasa de reproducción neta igual a la unidad, y en ambas ciudades la tasa era de 0'25 y 0'37 respectivamente en la tercera década del siglo XX. Globalmente, sin embargo, Francia es el país que ocupa el último lugar en materia de fecundidad. Teniendo en cuenta que aquí el descenso de la fecundidad se remontaba a tiempos pasados, la diferencia expresada en tasa de natalidad y sobre todo en tasa de crecimiento natural seguía siendo muy importante.

Otro aspecto a considerar en esta etapa de entreguerras es que, mientras en Europa la fecundidad iba en descenso, la primera revolución del antiguo régimen demográfico empezaba a dejarse sentir en lo que más tarde se llamará el Tercer Mundo. Junto con las tropas coloniales, a estos países llegan los primeros médicos, empiezan a propagarse las primeras reglas de higiene, y la mortalidad, especialmente la infantil, disminuye. Estos cambios traerán como resultado el incremento demográfico de estos países, que será más evidente en los años sesenta.

La primavera europea

La *tercera secuencia* corresponde a la época inmediatamente posterior a la Segunda Guerra Mundial: mientras, en el interior, Europa se recupera, en el exterior, sus antiguas colonias se independizan y experimentan un importante desarrollo demográfico. Durante la posguerra, Europa conocerá una primavera demográfica, apoyada de forma generalizada por la aplicación de políticas familiares. Los niveles de fecundidad suben aproximadamente a una media de 2'5 y 3'5 hijos por mujer. Este incremento supone un nuevo renacimiento para Europa, en la medida en que los progresos médicos y de higiene contribuyen a reducir el nivel mínimo necesario para cubrir el reemplazo de las generaciones, que pasa de 2'3 hijos por mujer a 2'2, y más tarde a 2'1, llegando a alcanzar un límite casi infranqueable. Jean Fourastié llamará a esta época *los treinta gloriosos,* por el crecimiento demográfico natural y por la recuperación económica y social que se observan en Europa. Y mientras tanto, en los países del Tercer Mundo la mortalidad retrocede de forma espectacular, favoreciendo un desarrollo demográfico particularmente rápido, que alcanzará incluso el 4 % por año, según las estimaciones realizadas.

El último tercio del siglo

La *cuarta secuencia* comienza antes de mediados de los años 60 con una bajada espectacular de la fecundidad en Europa y con descensos nada despreciables en algunos países del Tercer Mundo. Aunque los descensos en estos países no desarrollados no son tan fuertes como para neutralizar el rápido crecimiento demográfico al que antes aludíamos, ya que éste continúa, a pesar de los ajustes al descenso de la fecundidad en algunos de ellos. En el continente, la Europa de los Doce de finales del siglo XX representa una población tres veces mayor que la de 1750, con una extensión territorial similar, y con la característica principal del aumento de la esperanza de vida. Pero esta población no sólo empieza a envejecer, sino que existe ya un peligro virtual de estancamiento y de despoblación. Así, desde 1983 el porcentaje de personas menores de 20 años en Francia es inferior al 30 %, cifra que nunca antes se había conocido, ni siquiera en épocas de guerra. Y dicho porcentaje sigue bajando, lo que significa que el número de personas jóvenes es cada vez menor.

Ningún país europeo tiene actualmente una tasa neta de reproducción susceptible de cubrir simplemente su reemplazo de las generaciones. Como hemos señalado unas líneas más arriba, durante la posguerra la fecundidad era de 2'5 y 3'5 hijos por mujer. A mediados de los 60, la tasa desciende a 1'6 hijos por mujer, lo que representa un hijo menos por hogar con respecto a la generación precedente. Y en la actualidad, aunque el descenso de la fecundidad ha ido evolucionando en dos tiempos, casi todos los países europeos han llegado al mismo nivel de baja tasa de fecundidad: en los países del norte, la fecundidad ha ido bajando de forma regular desde los años 60, y en los del sur, donde empezó a descender más tarde, el ritmo de descenso ha sido tan rápido que ha conseguido equipararse con los bajos niveles de Europa del norte. Al respecto, Francia se ha mantenido, de manera imprevista, en una situación relativamente intermedia, que se corresponde, por otra parte, con la que es su posición geográfica en el continente.

La estadística de los años 90 muestra que en los países del sur de Europa, en la Europa mediterránea, la tasa de fecundidad es baja, incluso menor que la de Francia. Cuando Italia dio, en 1986, un índice de fecundidad inferior al de Alemania, la opinión pública se mostró sorprendida. Pero la fecundidad cayó aún más en España en 1992, y este país puede ser considerado desde entonces como el farolillo rojo de la fecundidad europea y mundial. El saldo es negativo en muchas comunidades autónomas: hay más muertes que nacimientos en el noroeste (Galicia, Asturias), en el norte y noreste (Cantabria, País Vasco, Navarra, La Rioja, Aragón) y en Castilla-León.

En general, la fecundidad es más baja en el norte de España que en el sur; en las grandes ciudades del País Vasco y de Navarra es incluso inferior a un niño por mujer, cosa que sucede también en otros países europeos, lo que supone el descenso y el envejecimiento de su población. En resumen, pues, el déficit de nacimientos que Europa ha ido acumulando desde 1975 sobrepasa los 15 millones.

Pero ¿tiene algún sentido hablar de la población europea? ¿Es Europa algo más que un simple espacio geográfico? En realidad, algunos podrían decir que Europa Occidental no existe. Tal y como quedó demostrado en la Guerra del Golfo, da la impresión de que los doce países miembros de la Comunidad Europea (CE) no son capaces de llegar a un acuerdo para establecer su línea de actuación en política extranjera: Austria permanece neutral; Suiza sigue siendo Suiza; los países bálticos ni siquiera intentan unirse a los Doce; incluso Noruega dijo «no» en referéndum a su adhesión a la CE. En fin, ante este panorama, Europa podría aparecer como una realidad bastante limitada, en la que, según se desprende de los sondeos realizados, no parece que exista un sentimiento europeo común de fuerza y motivación.

Ahora bien, Europa no es sólo una superficie geográfica. Existe también en los registros de estado civil de sus diferentes países. En los años 70, el continente todavía parecía dividido en dos. Mientras los países del norte conocían un notable descenso de su fecundidad, los mediterráneos –a excepción de Francia– mantenían todavía un nivel suficiente. Aunque no tardarían en registrar un espectacular descenso de su fecundidad, tal y como veremos a continuación.

El descenso de la fecundidad en el norte de Europa

Desde los años 80, la fecundidad en los 17 países de Europa Occidental no es suficiente para garantizar el reemplazo de las generaciones. Para que dicho reemplazo pudiera producirse, debería ser al menos de 2'1 hijos por mujer. Y el único país europeo que en 1992 mantenía todavía un índice de 2'11 era Irlanda, aunque esta singularidad empieza a ser cada vez más reducida. Los países europeos en los que el descenso de la fecundidad fue más tardío han alcanzado, e incluso superado, a aquéllos que la iniciaron en los años 60. En estos países, el número de hijos por familia ha disminuido aproximadamente en uno, y a veces más. Así, Holanda, con un índice de fecundidad de 3'12 en 1961, descendió a 1'70 en 1993, es decir, casi la mitad. Noruega, con 2'85 en 1960, bajó un 39 %, hasta llegar a 1'75 en 1977, para situarse en 1'82 en 1993. Francia, que en 1960 tenía un índice de 2'73, descendió un 40 %, situándose en 1'63 en 1994. Reino Unido, con 2'68 en 1960, bajó a 1'82 en 1993, es decir, un 32 %. En 1960, Bélgica tenía un índice de fecundidad de 2'56, para descender a 1'61 en 1993, o sea, un 37 %. Suiza pasó de 2'44 en 1960 a 1'48 en 1993, es decir, bajó un 39 %. La RFA, con un índice de 2'37 en 1960, descendió a 1'40 en 1992, es decir, un 41 %. Alemania Oriental, con un índice de 2'48 en 1964, ¡descendió a 0'83 en 1992! El índice de Alemania reunificada es de 1'30 en 1993. Y Suecia, que en 1960 tenía un índice de 2'20, pasó a 2'00 en 1993. Esta diferencia mínima que se observa en Suecia entre las dos fechas consideradas obedece al hecho de que este país alcanzó su nivel máximo de fecundidad en 1964 (2'54), y el mínimo en 1973 (1'6), antes de que se registrase un aumento en la segunda mitad de los años 80.

Resumiendo, por tanto entre comienzos de los 60 y finales de los 80, los diez países que acabamos de señalar tuvieron una época de unos quince años en la que la fecundidad fue descendiendo de forma continua y regular[6].

El tobogán demográfico en el sur de Europa

Durante un tiempo, algunos llegaron a creer que los países del sur de Europa seguirían el mismo camino que los del norte. Ahora bien, era evidente que el mecanismo de la segunda revolución demográfica, que en el sur de Europa se había producido con 10 años de retraso aproximadamente, iba a provocar efectos parecidos. Lo más difícil de prever fue la rapidez y la intensidad del descenso de la fecundidad en estos países del sur de Europa. Así, en 1987 Italia pasó a ser el farolillo rojo de la población europea. En 1975, la fecundidad italiana era todavía de 2'19, mientras que la de la República Federal Alemana era ya de 1'45. Sin embargo, en 1987 la fecundidad italiana había descendido a 1'31, es decir, un 40% en 12 años, hasta llegar a 1'24 en 1993.

España, Portugal y Grecia van a deslizarse igualmente por el mismo tobogán demográfico, haciendo de este descenso el acontecimiento más importante del último tercio del siglo XX en Europa.

España, con una fecundidad de 2'80 en 1975, pasó a 1'57 en 1987, es decir, descendió un 45 %, situándose por debajo de Francia, Reino Unido y Holanda. En 1992 sustituye a Italia y pasa a convertirse en el farolillo rojo, alcanzando un índice de 1'23.

En 1975, un año después de que el régimen dictatorial hubiese sido derrocado, Portugal tenía una fecundidad de 2'59. En 1987, su fecundidad era 1'56, es decir, había descendido un 40%. En 1993 es de 1'53.

---

[6] Gérard-François Dumont y Pierre Descroix, *La spécificité du comportement démographique de la France,* «Histoire, Economie et Sociétés», 3er. trimestre, 1988.

Y Grecia, cuya fecundida era de 2'33 en 1975, desciende a 1'52 en 1987, es decir, un 35 % menos, hasta situarse en 1'38 en 1993.

¿Debemos, pues, considerar a Irlanda como un caso aparte, en la medida en que en 1990 la fecundidad en este país todavía permite asegurar el reemplazo de las generaciones? Desgraciadamente, no. Porque, aunque en 1975 Irlanda tiene una fecundidad de 3'41, en 1992 se sitúa en 2'11, es decir, desciende un 38 %.

Globalmente, pues, si bien pueden existir consideraciones políticas, sociológicas y culturales susceptibles de explicar las diferencias de fecha y de intensidad según los países y las regiones, lo cierto es que, durante este último tercio del siglo XX, todo el universo de los países europeos ha ido entrando en un invierno demográfico.

En el último tercio del siglo XIX, con anterioridad a las cuatro secuencias a las que nos hemos referido anteriormente, la fecundidad de las parejas europeas ya había empezado a disminuir de forma regular, pero este descenso no tuvo apenas relevancia porque estaba compensado con el fuerte retroceso de la mortalidad. El único país que veía cómo su población envejecía era Francia, cuya fecundidad comenzó a descender en los inicios del siglo XIX por influencia de diversos factores, entre los que destacaremos de manera especial el carácter malthusiano del Código de Napoleón. Aunque el importante contingente de inmigrantes que este país recibe paliará las consecuencias de dicho envejecimiento.

A comienzos del XX, la fecundidad seguía siendo, pues, insuficiente en algunos países de Europa para asegurar el reemplazo de las generaciones. Pero dicha insuficiencia tampoco se consideraba necesariamente alarmante porque, al mismo tiempo, las mejoras derivadas del retroceso de la mortalidad iban en aumento. Por otra parte, todo parece indicar que, en el segundo tercio del siglo XX, se llegó a comprender el riesgo que implicaba el descenso de la fecundidad. La revolución demográfica permite dividir por tres la fecundidad necesaria para la vida, pero no mucho más. De ahí el despertar demográfico europeo que se producirá globalmente desde 1935 hasta 1965, y que marcará el inicio de una renovación que se generalizará en el plano económico y social después de la Segunda Guerra Mundial.

En 1957 se firma el tratado de Roma. En 1965, Europa es una comunidad en construcción con una vitalidad demográfica real que parece disponer de los mecanismos necesarios para afirmar su personalidad ante las dos grandes potencias del Este y del Oeste.

Las dos rupturas

A partir de 1965, sin embargo, con todo el mecanismo de la segunda revolución demográfica en fase operativa, la comercialización y utilización de unas técnicas totalmente eficaces (píldora, DIU, recurso al aborto si falla el método contraceptivo) revolucionarán el proceso de la maternidad, que ya no va a ser parcialmente aleatoria, sino voluntaria. La decisión sobre la propia fecundidad significará, la mayoría de las veces, dejar de utilizar un método contraceptivo y, por tanto, desear voluntariamente tener un hijo, o simplemente aceptar el nuevo hijo que llega en ese momento. Lo cual nos sitúa ya, en 1965, frente a una primera ruptura demográfica en Europa. A partir de ese instante, y en años diferentes para cada país europeo, se irá experimentando una disminución del número de nacimientos con relación al año anterior. Así, en Bélgica el año clave será 1960, en Austria 1964, en Alemania, Suiza, Reino Unido, Holanda, Italia y España 1965, en Dinamarca y Suecia 1967, en Noruega 1970 y en Francia, 1972. Estados Unidos y Canadá, que hasta entonces habían tenido una fecundidad muy elevada, se habían adelantado a Europa, ya que el descenso había comenzado en 1958 y 1960 respectivamente.

Si tenemos en cuenta que, en demografía, el indicador esencial es el índice de fecundidad, no el número de los nacimientos, podemos afirmar que, en Europa, dicho índice comienza a descender en 1965.

Esta primera ruptura de 1965 señala, por lo tanto, un cambio en el sentido de la evolución de la fecundidad europea. Pero, a pesar de este descenso, todavía se puede garantizar el reemplazo de las generaciones. Es decir, la fecundidad sigue siendo superior a la media de 2'1 hijos por mujer, que en demografía se establece como cifra mínima por debajo de la cual se entra inevitablemente en el envejecimiento de la población.

Sin embargo, 1973 será el año que marque la segunda ruptura demográfica. A partir de entonces, la vieja Europa se convierte en un continente de viejos. Pasa a ser la Europa *ridée,* arrugada. El déficit de los nacimientos que mide la importancia de dicho envejecimiento es cada vez mayor. El continente irá perdiendo progresivamente su juventud. Mientras el porcentaje de las personas de edad aumenta, la proporción de jóvenes menores de 20 años disminuye.

4. Idéntica situación en Europa Occidental y en Europa del Este

Europa Occidental tiene el índice de fecundidad más bajo del planeta y, en consecuencia, es la zona más envejecida. De ahí el interrogante que Jean-Claude Chesnais plantea: «¿Acaso puede alguien pensar que, además de las inevitables dificultades de financiación de los gastos derivados de las jubilaciones y de la sanidad especialmente, la influencia y la ética misma de Europa no van a verse afectadas por este fenómeno?»[1].

Cuando en el capítulo anterior analizábamos la evolución de Europa, no hicimos alusión a la ruptura que se produjo después de la Segunda Guerra mundial entre el Este y el Oeste europeos, y que duró hasta 1990. Al respecto, podríamos preguntarnos si las diferencias de los regímenes políticos de Europa Occidental y de Europa del Este tuvieron algún efecto demográfico. La respuesta, sin lugar a dudas, sería afirmativa, al tiempo que justificaría un estudio de la cuestión en la línea de esta nueva disciplina a la que hemos llamado demografía política.

¿Cuál es la extensión geográfica de la Europa envejecida a la que antes nos hemos referido? En el supuesto de que llegase

---

[1] «Les enjeux de l'Europe», n.º 3, Invierno 1990, p. 100.

justo hasta lo que en 1989 era el *telón de acero,* según la expresión de Winston Churchill, ¿significaría esto que Europa del Este tiene vitalidad demográfica suficiente como para contribuir al rejuvenecimiento de todo el continente europeo? En tal caso, la *dinámica del envejecimiento,* el fenómeno más importante de la evolución de la población en Europa Occidental, no sería sino un espejismo susceptible de ser eclipsado por la población de Europa del Este, cuyos países son hermanos de los del Oeste.

La necesidad urgente de hacer el balance entre Europa Occidental y Europa del Este es, pues, evidente.

Una simplificación abusiva

Desde la Segunda Guerra mundial hasta 1989-1990, Europa estuvo dividida en dos: por una parte, los países de economía de libre mercado, y por otra, los países socialistas, de economía planificada. Era, por tanto, dual. A partir de 1990 pasó a ser múltiple. La presentación que se hacía de Europa era generalmente política: la Europa Occidental y la Europa del Este, entre las que se levantó en los años 50 un verdadero telón de acero que aisló al Este del resto del continente. La Europa Occidental comprendía, por una parte, la Europa de los países miembros de la CE, que de seis pasaron a ser doce, y por otra, cinco países de economía de libre mercado que no pertenecían a la CE: Austria, Finlandia, Noruega, Suecia y Suiza. La llamada «Europa Occidental» englobaba a los Doce más los cinco.

Europa del Este incluía seis países estrechamente ligados a la U.R.S.S. política y militarmente: Bulgaria, Hungría, Polonia, la R.D.A. hasta el 3 de octubre de 1990[2], Rumanía y Checoslovaquia.

[2] Fecha de la adhesión de este territorio a la ley fundamental de Alemania y de la entrada *ipso facto* en la CE. Fue declarado día festivo en Alemania.

Incluyendo la parte más occidental de la U.R.S.S., podríamos hablar de una gran Europa que se extendía, retomando la expresión del General de Gaulle, desde el Atlántico hasta los Urales y que comprendía todos los territorios en los que los diplomáticos del siglo XVIII utilizaban el francés como lengua de comunicación. En una época en la que Francia era el único Estado-Nación de Europa, con un enorme peso demográfico sobre el resto. Alemania, que en 1870 se convertiría en un Estado políticamente unitario, era sólo un territorio habitado por doscientos pueblos diferentes, que utilizaban monedas diferentes. En 1648, el tratado de Westfalia reconocía la existencia de 350 Estados a lo largo y ancho del territorio alemán.

Pero volvamos a la Europa de la que hablábamos al comienzo de este apartado, y a la clasificación política que de ella se hace de 1945 a 1990. En esta clasificación se olvidan de cuatro países y se comete un error histórico manifiesto. En efecto, cuando Grecia entra a formar parte de la CE, se la incluye generalmente en Europa occidental. Sin embargo, la historia y la geografía muestran que Grecia es un país del Mediterráneo oriental, no del occidental. Además, hay unos países de los que se olvidan: Yugoslavia, a la que el Mariscal Tito había colocado en una posición de cierta neutralidad diplomática; Albania, que practica un fuerte aislacionismo; Islandia y Malta, alejadas por la distancia marina, y algunos micro-Estados como Mónaco, Liechtenstein, San Marino o el Vaticano. Sumando todos los países europeos, contabilizaríamos un total de 31.

Por tanto, Europa comprende 31 estados, reducidos a 30 desde aquel 3 de octubre de 1990. Pero el número podría dejarse en 31, si tenemos en cuenta que las islas anglo-normandas gozan de plena soberanía.

Regreso a la geografía clásica

Ante el carácter cada vez más inoperante de la tipología política de la Europa surgida de la guerra fría, sería conveniente volver a las definiciones geográficas clásicas que dividían a Europa en cuatro partes, según los cuatro puntos cardinales:

–Europa del Norte agrupa a 7 países: Dinamarca, Finlandia, Irlanda, Islandia, Noruega, Reino Unido y Suecia.

–Europa del Sur comprende: Albania, España, Grecia, Italia, Malta, Portugal y los países de la ex-Yugoslavia, sin olvidar una parte del territorio de Turquía.

–Europa del Oeste, con siete países también: Alemania, Austria, Bélgica, Francia, Luxemburgo, Holanda y Suiza.

–Europa del Este, que, tras la reunificación de Alemania, comprendería al menos cinco países, y en la que podríamos incluir los Estados bálticos, habida cuenta de su anexión a la U.R.S.S. Aunque, desde un punto de vista histórico y geográfico, los países del Báltico pertenecen al bloque escandinavo. Lituania es mayoritariamente católica. Estonia y Letonia son de mayoría protestante.

¿Cuál ha sido, pues, la evolución de la población en los seis países del Este, por comparación a lo que ha sucedido en los siete países de Europa Occidental que pertenecen a la Europa continental? La evaluación de los resultados en el umbral de los años 90 es una condición previa e indispensable antes de pasar a examinar los factores de evolución que puedan ayudarnos a reflexionar desde diferentes escenarios.

El balance pondrá de manifiesto que existen importantes contrastes, pero mostrará asimismo algunas características comunes que serán de gran importancia para el futuro.

Las diferencias entre Europa del Este y Europa Occidental son numerosas. Las primeras estarían relacionadas con los mecanismos de control de la fecundidad, pero también, como contrapunto, con los intentos por establecer políticas demográficas positivas.

A continuación habría que considerar las consecuencias de los fenómenos migratorios intereuropeos e internacionales, que son totalmente diferentes en el oeste y en el este de Europa.

Finalmente, y en conexión directa con lo que acabamos de señalar, los poblamientos de ambas Europas son también muy diferentes tanto en sus orígenes geográficos como en su grado de concentración.

Mejor situación sanitaria en Europa Occidental

Los avances económicos y médicos que se produjeron a partir del siglo XIX y que alteraron totalmente el régimen de la mortalidad se han dejado sentir en las dos Europas. Sobre todo en cuanto a la mortalidad infantil se refiere, es decir, las muertes de los recién nacidos antes de su primer año de vida, que en el siglo XVIII se elevaba al 25 % de los nacimientos, y que en dos siglos ha descendido más del 90 %.

Según las cifras publicadas por las Naciones Unidas y el Banco Mundial[3], las tasas de mortalidad infantil (de cada 1.000 nacimientos) en Europa Occidental han sido: 13 en 1977, 10 en 1982, 10 en 1985, 8 en 1989 y 6 desde 1993. En Europa del Este, durante los mismos años, las cifras han evolucionado de la siguiente manera: 24, 21, 19, 17 y 16.

Aunque la mortalidad infantil ha sido más elevada en Europa del Este, la diferencia con respecto a la Occidental no es tan grande, y se encuentra muy por debajo de las cifras registradas en América Latina (49 en 1994), en Asia (63) y en África (92).

Sin embargo, puesto que la tasa de mortalidad infantil es un indicador de desarrollo, si comparamos las dos Europas, los datos reflejan que la situación sanitaria en Europa del Este no

[3] «Population et Sociétés», n.ºs. 126, 171 y 193.

es tan buena como en la Occidental. Además, se podría discutir respecto a la fiabilidad de las cifras que acabamos de señalar. El Director del INED señaló que la mortalidad infantil en el Este iba en aumento, mientras que la longevidad media descendía[4]. En cuanto a las cifras dadas para Rumanía, 25 en 1989 frente a 28 en 1985, tampoco son de fiar. Como señalábamos anteriormente, Nicolae Ceaucescu practicaba lo que podríamos llamar la estadística de la autoridad[5]. Decidió no registrar los nacimientos hasta pasado el primer mes de vida, lo que evitó el tener que contabilizar todos aquellos recién nacidos que morían durante las cuatro primeras semanas.

Pero, a pesar de las reservas con que debemos analizar estas cifras, podemos considerar que los efectos de la primera revolución demográfica –el control de la mortalidad– se registraron simultáneamente en la Europa del Este y en Europa Occidental.

El aborto, primero banalizado...

Como dijimos al finalizar el capítulo II, la segunda revolución demográfica comienza en el norte de Europa, durante la segunda mitad del siglo XX, con el desarrollo y la difusión de mecanismos de control de la natalidad muy eficaces técnicamente. En este campo, Europa del Este ha seguido caminos muy diferentes a los de Europa Occidental. En nombre de la «teoría marxista-leninista de la población», y siguiendo una ideología materialista, Europa del Este autorizó las técnicas del aborto provocado mucho antes que Europa Occidental. Sin

[4] «Le Libéral Européen», enero 1990.

[5] Por ejemplo, el 20 de noviembre de 1989, con motivo de la apertura del XIV Congreso del Partido Comunista rumano, Nicolae Ceaucescu anunciaba que se había conseguido una cosecha record de 60 millones de toneladas de cereales para 1989. Una cifra totalmente falsa sin lugar a dudas.

embargo, el empleo de técnicas de contracepción, tales como la píldora o el dispositivo intrauterino, era prácticamente desconocido. De donde se deduce que, a gran escala, el aborto ha sido el mecanismo esencial de control de la natalidad.

El aborto fue progresivamente legalizándose en los países del Este a partir de 1955, tras una autorización reformulada en la U.R.S.S. Dicha autorización no fue sino la continuación de una reglamentación que había ido cambiando varias veces. De 1917 a 1926, el aborto había sido autorizado en la U.R.S.S. sin ningún tipo de restricción; de 1926 a 1936 se pusieron algunas reservas; de 1936 a 1954 estuvo totalmente prohibido; finalmente, fue autorizado de nuevo en 1955.

En 1956, Polonia, Hungría, Bulgaria y Checoslovaquia autorizaron el aborto; Rumanía lo hizo en 1957; Alemania del Este lo autoriza el 9 de marzo de 1972.

En Europa Occidental, la legislación sobre el aborto se promulgará unos años más tarde[6]. Como aquí el materialismo marxista-leninista no impone su monopolio ideológico, las definiciones legales sobre el aborto serán, en teoría, más restrictivas. En principio, el aborto legal sólo se autoriza en aquellos casos en los que la vida de la madre corra peligro, si existe riesgo importante para su salud física o mental, en caso de lesión grave del embrión, en casos de violación, etc. Pero lo cierto es que, en la práctica, siempre se sobrepasan los límites de autorización del aborto.

Siguiendo algunas normas llegadas del Este, en algunos países de Europa Occidental también se va a legislar en materia de aborto: Gran Bretaña lo hará en 1967, Francia en 1975 y

[6] En la R.F.A. con la ley del 21 de junio de 1974, modificada por la del 12 de febrero de 1976; en Italia, el 22 de mayo de 1978; en Luxemburgo, el 15 de noviembre de 1978; en Francia, el 17 de enero de 1975, modificada por la del 31 de diciembre de 1979; en Dinamarca, el 13 de enero de 1973; en el Reino Unido, el 27 de octubre de 1967.

Bélgica en 1990, aunque con definiciones que, en principio, pueden parecer más restrictivas.

... más tarde restringido

El carácter general y sistemático de los abortos legalizados en Europa del Este conducirá finalmente a la adopción de medidas restrictivas, incluso a veces brutales, aunque más por razones de equilibrio demográfico que por razones morales. Por ejemplo, ante la importancia del número de abortos practicados, cuya cifra era superior a la de los nacimientos, en 1962 Checoslovaquia pone en vigor una nueva reglamentación a la que debían someterse todas las solicitudes de aborto. Antes, dichas solicitudes podían ser presentadas en cualquier lugar, incluso fuera del distrito de residencia; la nueva reglamentación establecía que sólo serían aceptadas aquéllas que se presentasen en el distrito de residencia[7].

En octubre de 1966, Rumanía cambió totalmente de política mediante la supresión del aborto legal, con el fin de proteger no sólo la salud de las mujeres frente a los continuos abortos, sino también la vida de los futuros niños. Para ser más exactos, se prohibió el aborto a las mujeres rumanas de menos de cuarenta años (incluso se amplió a las de menos de cuarenta y cinco años, tras una modificación de la legislación en 1972) y a todas aquéllas que tuviesen menos de 4 hijos (en 1972, el número debía ser 5). En 1967, los resultados fueron espectaculares. Se duplicó el número de nacimientos con respecto al año anterior, y el índice sintético de fecundidad subió a 3'66 hijos por mujer. Aunque, más tarde, con la reaparición de las clínicas de aborto clandestinas se produjo un descenso de la fecundidad[8].

---

[7] *La population de la Tchécoslovaquie,* París, Cicred, 1975, p. 13.

[8] Gérard-François Dumont, Alfred Sauvy et al., *La montée des déséquilibres démographiques,* París, Economica, 1984, capítulo 5.

Bulgaria modificará primero su legislación sobre el aborto, en un sentido restrictivo, en 1968, y luego en 1973. Hungría adoptará una medida semejante el 20 de abril de 1973. Se prohíben los abortos a aquellas mujeres que sólo tengan uno o dos hijos. Tras la caída de Ceaucescu, en diciembre de 1989, Rumanía vuelve a legalizar de nuevo el aborto.

Como vemos, pues, las restricciones sobre el aborto obedecen esencialmente a criterios cuantitativos.

Políticas de población

A principios de los años 60, paralelamente a esta evolución hacia una política restrictiva en materia de aborto, algunos países de Europa del Este intentaron poner en marcha políticas favorables a la natalidad, para tratar de frenar el descenso de la fecundidad que se había producido debido a la legalización del aborto[9].

En 1964, Checoslovaquia adopta algunas medidas para detener la baja tasa de natalidad. Luego, en 1969, aprueba unas medidas complementarias, que serán seguidas por otros países, que darán como resultado una cierta evolución favorable de la natalidad.

Vemos pues que, mientras Rumanía, Bulgaria y Hungría intentan aumentar su natalidad haciendo descender el número de abortos, Checoslovaquia y la R.D.A. eligen un camino diferente, adoptando medidas que favorezcan el incremento de los nacimientos. Polonia, país en el que la práctica del aborto siempre ha sido menor, debido sin duda a las creencias religiosas y a la actuación de la Iglesia, mantiene un índice de fecundidad igual o superior a la tasa de reemplazo de las generaciones.

[9] «Population et Sociétés», marzo de 1972.

«Una comunista no aborta»

A partir de 1976, Alemania del Este adoptará una serie de medidas para frenar el descenso de la población, aunque sin modificar la ley sobre el aborto. Estas medidas, que favorecían a las familias numerosas mediante la concesión de ayudas para la vivienda y de permisos a los padres, iban acompañadas de un eslogan ampliamente difundido, cuyo mensaje era: «Una madre comunista no aborta»[10].

Y mientras esto sucedía en el Este durante los años 60 y 70, extendiéndose incluso a los 80, la situación en Europa Occidental era muy diferente. Aunque se da publicidad a la adopción de medidas bastante limitadas, los gobiernos permanecían casi insensibles a las evoluciones demográficas y apenas reaccionaban ante el descenso de la fecundidad, más acentudado que en Europa del Este.

Los datos de los últimos treinta años muestran, por tanto, una primera diferencia entre los gobiernos del Este, que han intentado impedir la pérdida de vitalidad, y los del Oeste, que han reaccionado prácticamente de forma pasiva ante el envejecimiento de su población.

Las migraciones de la posguerra

La segunda diferencia respecto a la situación demográfica en ambas Europas está relacionada con las migraciones, tanto en el marco intereuropeo como en el marco internacional.

En el marco europeo, la división política que se hizo de Europa tras la Segunda Guerra Mundial generó migraciones en el Oeste, pero muchas más en el Este.

La conferencia de Postdam (celebrada del 17 de julio al 2

---

[10] Alfred Sauvy, Gérard-François Dumont y Bernard Mérigot, *Démographie politique,* París, Economica, 1982.

de agosto de 1945), que precisó las disposiciones acordadas en Yalta, se tradujo en importantes desplazamientos de población en Europa del Este. Por ejemplo, en 1945-1946, 2.256.000 alemanes fueron transferidos de manera oficial por las autoridades checas, y se estima que 660.000 más abandonaron Checoslovaquia de forma ilegal. Hungría transfirió asimismo población checoslovaca a su país, y un grupo de 75.000 magiares regresó a Hungría. Igualmente, se produjeron otros desplazamientos de población, especialmente entre Polonia y la R.D.A., para asentar a la población alemana al oeste de la línea Oder-Neisse.

Las migraciones internas que se suceden en Europa Occidental, desde los primeros años de la posguerra hasta la ley fundamental de mayo de 1949 por la que se instituye oficialmente la R.F.A., fueron menos numerosas que los desplazamientos de población que se produjeron en el Este.

Billetes de ida

Los movimientos migratorios europeos se realizaron en una única dirección: del Este hacia el Oeste. La U.R.S.S. prohibió la emigración en los años 20, y sólo se ha levantado dicha prohibición en favor de algunos individuos con problemas políticos y en el caso de los judíos rusos a finales de 1989. El resto de los países del Este siguió su ejemplo, desautorizando tanto la emigración como la inmigración[11]. Y consiguieron

[11] Sin olvidar los permisos de emigración que se concedieron previo pago de ciertas indemnizaciones. Por ejemplo, en Rumanía, un decreto del 6 de noviembre de 1982 especificaba: «Las personas que abandonen el país deberán indemnizar al Estado en divisas por los esfuerzos materiales que éste ha realizado para su educación y especialización, incluidas las becas.»

El decreto precisa también que el Estado tomará posesión «de los inmuebles y tierras» de los candidatos a la emigración, los cuales deberán ceder al

controlar la inmigración, sin lugar a dudas, debido a que su sistema político y su nivel de vida no eran lo suficientemente atractivos. Sin embargo, no sucedió lo mismo con la emigración, especialmente antes de la construcción del muro de Berlín, el 13 de agosto de 1961, porque el desplazamiento de población que había comenzado tras la Segunda Guerra mundial continuó a lo largo de los doce años anteriores al levantamiento de dicho muro. Se estima que, durante ese período, el número de personas que emigran de la R.D.A. a la R.F.A. sobrepasa los dos millones, varones en su mayoría, cualificados profesionalmente.

A pesar de las leyes en contra, Europa del Este es tierra de emigración, frente a la del Oeste, que es de inmigración europea, contraste que queda particularmente reflejado en el caso de las dos Alemanias. De 1950 a 1989, Alemania Occidental registró un excedente migratorio de 8.630.000 personas, es decir, 216.000 al año, que quedaría desglosado de la siguiente manera: el 62 % corresponde a los ciudadanos alemanes procedentes de un país satélite de la Unión Soviética (R.D.A.) y a la diáspora alemana, y el 38 % es la población llegada de otros países, entre éstos Turquía. En 1990, la Alemania reunificada acogió 1.041.000 inmigrantes, y 600.700 en 1991.

Puertas abiertas y puertas cerradas

En relación a las migraciones internacionales que se han producido entre 1950 y 1990 existen asimismo grandes diferen-

---

Estado, de acuerdo con el precio establecido por una comisión central, los bienes «que pertenezcan al patrimonio cultural nacional».

Los candidatos a la emigración tienen que abonar asimismo en divisas los gastos ocasionados por asistencia médica, las tasas y los servicios turísticos, así como aquéllos que pagan los extranjeros en Rumanía, desde el momento de la aceptación de su demanda hasta que su partida se haga efectiva. Cf. *Le Monde*, 9 de noviembre de 1982.

cias entre las dos Europas. Mientras que en Europa del Este se prohíbe la libre circulación de sus ciudadanos, la Occidental tiene unas leyes y una política que facilitan dichos desplazamientos.

Europa Occidental será, por tanto, tierra de inmigración internacional; la del Este, no. A los diferentes países de Europa Occidental llegó un porcentaje nada despreciable de inmigrantes no europeos muy variado: desde chilenos hasta filipinos, pasando por el Maghreb o Sri Lanka. Porcentaje y variedad que no se dan en el Este.

La diferencia entre las dos Europas, la del Este cerrada a los cambios migratorios, la Occidental abierta, es un dato a tener en cuenta porque tendrá numerosas implicaciones.

Fuertes minorías...

Además de las diferencias en cuanto a la mortalidad infantil y a las políticas adoptadas en materia de aborto, natalidad y migraciones, hay que señalar otra diferencia entre Europa Occidental y Europa del Este que hace referencia al poblamiento global. La primera la componen poblaciones muy variadas, de diferentes orígenes geográficos. Pero todos los países tienen en general un poblamiento dominante representado por una población nacional de rasgos característicos comunes.

Al contrario, el poblamiento del Este se caracteriza por ser menos variado, debido a la prohibición de la inmigración, y estar compuesto por colectivos de diferentes nacionalidades, especialmente en algunos Estados. En Bulgaria, por ejemplo, hay una minoría turca muy numerosa, estimada en un millón y medio de habitantes[12]. Rumanía tiene una fuerte minoría

[12] En 1971, los patronímicos de los musulmanes búlgaros fueron sustituidos por nombres eslavos. En 1985 se prohibió hablar turco en los lugares públicos. Luego, el 29 de diciembre de 1989, el Comité Central del Partido

húngara, lo mismo que Checoslovaquia. Sin olvidar la población cíngara que, según el último censo oficial realizado en Rumania en 1977, era de 229.968. Y Polonia, a pesar de los desplazamientos de población de la posguerra, tiene también minorías alemanas en Pomerania y Silesia, cifradas entre 400.000 y 600.000 personas.

En Europa Occidental ningún país tiene una minoría de diferente origen nacional que represente unos porcentajes tan importantes como los de las minorías del Este.

Por otra parte, todos sabemos que las minorías han desempeñado a veces un papel esencial. Sin ir más lejos, los acontecimientos de 1989 en Rumanía, que provocaron la caída de Ceaucescu, se vieron acelerados o facilitados por las duras condiciones impuestas a los húngaros instalados en la región de Timisoara.

... localmente mayoritarias

Esta es, sin duda, la segunda especificidad de los poblamientos en Europa del Este. Las minorías son, en algunos casos, localmente mayoritarias. Los húngaros, por ejemplo, lo son en el sur de Checoslovaquia, en el Oeste de Rumanía y en Transilvania; los turcos, a su vez, son mayoría en el sur de Bulgaria. A diferencia de Europa Occidental, los asentamientos de población de Europa del Este no se corresponden, pues, con los límites fronterizos.

Por consiguiente, las diferencias que se han ido forjando entre los países del Este y los del Oeste de 1945 a 1990 son esencialmente el resultado de la dualidad política entre las dos

---

Comunista búlgaro decidió, en un pleno, conceder a los musulmanes la libertad de elegir su nombre, su lengua y su religión, lo que autorizaba al uso de la lengua turca y a la práctica del Islam. Cf. *Le Monde,* 31 de diciembre de 1989.

partes de Europa. En el Este no se han producido ni inmigraciones europeas ni internacionales, debido al cierre de fronteras y al rechazo a readaptarlas (lo que no siempre ha sucedido en el Oeste, como en el caso la región de Sarre). La teoría leninista respecto a la legislación sobre el aborto y a la imposibilidad reglamentaria de recurrir a la inmigración como soporte frente a las evoluciones demográficas llevó a Europa del Este a tratar de compensar la pérdida de vitalidad mediante el desarrollo de una política natalista como medio para incrementar su población.

Sería, pues, fácil concluir diciendo simplemente que las características demográficas de Europa Occidental y de Europa del Este son muy diferentes. Pero, si lo hacemos, estaríamos olvidando las características comunes que tienen ambas Europas, sin cuya comprensión cualquier análisis que pretendiésemos realizar sobre la población europea no sería correcto.

Aunque la dualidad política, simbolizada por el muro de Berlín, ha sido considerable, en Europa no sólo hay una cierta unidad geográfica, sino también una unidad humana importante. Unidad que se traduce en densidades de población que apenas difieren y que se constata en una evolución de la fecundidad que tiene más similitudes de lo que a primera vista podría parecer. En ambos casos, la evolución sigue la misma trayectoria: baja tasa de fecundidad y envejecimiento de la población.

Un poblamiento parecido

Desde 1950 hasta 1990, las superficies de los seis países de Europa del Este y de los siete de Europa Occidental no han variado: mientras que el Este ocupa una extensión de 990.000 km^2, el Oeste cubre 993.000 km^2, prácticamente la misma. La cifra de población es más favorable en Europa Occidental: 157 millones de habitantes en 1989, frente a 113 millones en la del Este. Diez años antes, en 1979, las cifras eran parecidas: 135 millones en la Occidental y 110 millones en la del Este. Aunque, si no incluyésemos en Europa Occidental la inmigración procedente de los países del Este y de otros territorios no europeos, la diferencia de 2 a 3 entre el Este y el Oeste no sería tan importante.

Estas cifras muestran ya dos primeras características comunes entre las dos Europas. Por un lado, una evolución de población parecida, aunque la del Este sea menos favorable, y por otro lado, diferencias de densidad no muy importantes: 158 habitantes por km^2 en el Oeste, 114 en el Este. Y no estaría de más señalar que las diferencias entre los países del Oeste, donde la densidad varía entre los 102 de Francia y los 303 de Holanda, son mayores que las que se observan en los del Este, cuyos extremos son Bulgaria con 81 y la R.D.A. con 153. Aunque todavía estamos muy lejos de las diferencias existentes en otros países del mundo, como Nigeria y sus vecinos africanos, o Estados Unidos y Canadá.

En cualquier caso, estas diferencias de densidad entre los países europeos no revelan realmente la existencia de verdaderos desequilibrios demográficos, sino solamente variaciones ligadas a la historia de los pueblos y sobre todo a los flujos migratorios.

Sin reserva demográfica en Europa del Este

Como ya se ha dicho anteriormente, las dos Europas muestran bastantes similitudes en lo que a la tasa de fecundidad se refiere.

En 1994, el índice sintético de fecundidad[13] de África, en su

---

[13] El índice sintético de fecundidad se calcula sumando las tasas de fecundidad de cada generación del sexo femenino (personas que tienen 15 años, 16 años..., hasta los 49 años). Este índice permite conocer el comportamiento de fecundidad de una población en un determinado año. Es importante porque permite las comparaciones entre distintas poblaciones, incluso si su composición por edades es diferente. Por tanto, es mucho más significativo que la tasa de natalidad. En efecto, dos poblaciones pueden tener la misma tasa de natalidad y comportamientos de fecundidad diferentes, si su composición por edades es diferente. Cfr. Gérard-François Dumont, *Demographie*, Editions Dunod, París, 1992.

conjunto, era de 5'9 hijos por mujer; el de Asia 3'1; el de América Latina y el del resto de la población mundial 3'2. Sin embargo, el de los 45 países europeos, incluidos los nuevos países nacidos de la ex-U.R.S.S. y de la ex-Yugoslavia, estaba ya claramente por debajo, en 1'7, cifra inferior a la establecida para asegurar el reemplazo de las generaciones, que, conforme a los datos de salud pública en Europa, se estima en una media de 220 hijos por cada 100 mujeres. En Europa sólo hay dos países que en 1994 alcanzan, aunque muy justamente, este nivel mínimo: Moldavia con 2'1, e Irlanda con 2'11. El resto, exceptuando Albania, tiene una fecundidad más baja. Lo que significa que, globalmente, el conjunto de Europa se encuentra confrontado a lo que yo llamo *el invierno demográfico*. Por eso, considero que la reflexión de Jacques Attali[14], cuando afirma que «en el espacio europeo, la migración masiva del Este hacia el Oeste renovará la población», resulta un poco prematura. De 1970 a 1990, la fecundidad en Europa del Este ha sido, en efecto, superior. Pero no es menos cierto que esta diferencia favorable al Este no es suficiente para afirmar que los huecos formados en la base de la pirámide de edades de Europa Occidental pueden ser llenados con los emigrantes de Europa del Este, a menos que la emigración se concentrase en ciertas edades.

Por lo tanto, no debemos esperar que el Este pueda paliar el envejecimiento de la población del Oeste.

Los desplazamientos de población y las diferencias de comportamiento (Polonia, por ejemplo) permitieron que, antes de 1990, Europa del Este consiguiese frenar su envejecimiento. El porcentaje de población menor de 15 años pasó del 23 % en 1979 al 24 % en 1989, lo que corresponde *grosso modo* a una cierta estabilidad, habida cuenta la relatividad de algunos datos. Pero en 1994 la proporción ha descendido hasta el 22 %. La recuperación de la vitalidad de su población no es lo suficien-

[14] *Lignes d'horizon*, París, Fayard, 1990, p. 170.

temente fuerte como para equilibrar la evolución negativa de Europa Occidental. Durante la década de los 80, la fecundidad media de Europa Occidental fue de 1'6 hijos por mujer, es decir, un 25 % por debajo del reemplazo de las generaciones. El envejecimiento de la población se traduce principalmente en la disminución del porcentaje de los menores de 15 años, que ha pasado del 22 % en 1979 al 18 % en 1989, hasta alcanzar el 17 % en 1994. Y este porcentaje sería todavía más débil con respecto al Este si se excluyesen los efectos de la inmigración.

Por otra parte, la tasa de fecundidad superior en el Este, 2'1, queda neutralizada por un índice de mortalidad también superior con respecto al Oeste, especialmente en lo que a mortalidad infantil se refiere, que es el doble.

Dicho de otra manera, mientras la población de Europa Occidental ha ido envejeciendo desde la década de los 70, con un saldo natural negativo registrado durante varios años seguidos en algunos países, Europa del Este se encuentra justamente en el límite del envejecimiento. Lo que le confiere una pirámide de edades mejor equilibrada, aunque no lo suficientemente joven como para compensar el envejecimiento de Europa Occidental.

En 1989, la tasa de natalidad en Europa del Este es de 15 nacimientos por cada 1.000 habitantes, frente a 12 en Europa Occidental. Esto se traduce en 1.880.000 nacimientos en el Oeste y 1.330.000 en el Este. Pero la baja tasa de natalidad del Oeste revela un déficit de nacimientos de 580.000, y esto sólo en 1989. Para el Este, la cifra indicada muestra sin duda un ligero déficit de nacimientos, máxime cuando su sistema sanitario es peor. No hay, por tanto, un excedente de nacimientos en el Este susceptible de cubrir el déficit de nacimientos del Oeste porque, durante la década de los 80, el Oeste registró un déficit de 5.800.000 nacimientos, pero en el Este no se produjo ningún excedente. Y en 1994, el Este ha alcanzado la misma tasa de natalidad que el Oeste, 11 por mil.

Por lo tanto, Europa del Este no dispone de una reserva

demográfica susceptible de contrarrestar el envejecimiento de Europa Occidental. Cabría la posibilidad de que esta última utilizase como escapatoria la población activa subempleada de Europa del Este. Pero esto supondría un detrimento económico para el desarrollo del Este, nunca un medio de revitalización.

Perspectivas

Las perspectivas demográficas señaladas por la O.N.U. en 1989 corroboraban los datos precedentes e indicaban que, para el año 2000, Europa del Este tendría 121 millones de habitantes, es decir, ocho millones más que en 1989, mientras que en Europa Occidental habría 153 millones de habitantes, lo que significaría un descenso de cuatro millones con relación a 1989. Esta evolución registra los efectos del envejecimiento de la población.

Estas cifras se daban teniendo en cuenta las leyes rumanas del momento, que prohibían el aborto. Sin embargo, conviene señalar que desde 1989 la legislación modifica a la baja estas perspectivas. Y lo mismo sucede en la Alemania reunificada, donde, al eclipsar la política familiar del Este, se ha llegado a un importante descenso de la natalidad.

Si observamos a las poblaciones de ambas Europas, encontraremos también otras características comunes en su historia. Por ejemplo, desde el punto de vista religioso, las diferentes religiones de Europa del Este –católica, ortodoxa, protestante y musulmana–, existen también en la Occidental. En cuanto a las lenguas, se dan asimismo algunas complementariedades.

Considerando, pues, las similitudes y diferencias entre las dos Europas, ¿cuáles son los factores de evolución que pueden ayudarnos a comprender el futuro?

En los fenómenos migratorios confluyen siempre tres factores: el demográfico, el político y el económico. Las actuales características de las poblaciones europeas nos llevan a descartar la posibilidad de que se produzcan movimientos de población debido a los desequilibrios demográficos. Quedan, pues, los factores políticos y los económicos.

Los primeros se resumirían en dos: las diferencias políticas y los posibles efectos psicológicos de la reunificación alemana.

Dualidades políticas

Las poblaciones sometidas a regímenes políticos opresores buscan siempre huir de dichos regímenes hacia otros en los que las libertades públicas estén aseguradas. El muro de Berlín fue la solución adoptada por los dirigentes del Este –aunque no totalmente eficaz– para tratar de impedir las migraciones Este-Oeste. Sin embargo, al caer el muro, la emigración hacia el Oeste, que por otra parte nunca dejó de producirse a pesar de las dificultades, es inevitable, sobre todo porque las diferencias políticas continúan. Además, aparte de la determinación propia de los pueblos, resulta cada vez más difícil seguir manteniendo dichas diferencias políticas por dos causas fundamentales: por una parte, porque se reaviva la llama de la libertad, y por otra, porque aparecen nuevas técnicas modernas de comunicación.

Renace la llama de la libertad

En el plano cultural, la libertad es una aspiración permanente del hombre. Se podrán restringir las libertades, suprimir algunas de ellas, encarcelar a los cantores de la libertad, matar a aquellos hombres que simbolizan la libertad, pero nunca se conseguirá enterrar definitivamente a la libertad. Porque, en el hombre, ésta es como una llama que no se apaga jamás, aunque todo a su alrededor esté estructurado para impedir que se reavive. Esta libertad y esta dignidad del hombre son principalmente el fruto del mensaje cristiano que siempre estuvo presente en la Polonia comunista, a pesar de las persecuciones. Este país consiguió recuperar algunos espacios de libertad gracias a los opositores al régimen que, aun arriesgando sus propias vidas, se negaron a plegarse y a aceptar tácitamente la autoridad de un sistema marxista-leninista.

Aparte de la libertad religiosa, existe otra libertad que es el derecho de los pueblos a disponer de ellos mismos. La minoría húngara que vivía en Rumanía oprimida por el comunismo estalinista, simbolizado por Ceaucescu, contribuyó a desencadenar la caída de este régimen, que se hizo efectiva el 22 de diciembre de 1989. Los alemanes del Este, encerrados tras unas fronteras custodiadas como si fuesen una enorme prisión, lucharon para conquistar la libertad esencial de poder desplazarse. El telón de acero era, en efecto, la prisión de pueblos enteros.

Revolución de la comunicación

Otro de los factores políticos que influyen en las evoluciones geopolíticas en Europa del Este es el que resulta de la revolución de la comunicación. En todas las épocas, culturas y países, los hombres siempre se han intercambiado información, bienes y servicios, y estos intercambios han resultado beneficiosos para todos, ya que el hombre es un animal social que aprende de su relación con otros hombres.

Durante cuarenta años, todos los esfuerzos de los regímenes de Europa del Este siempre han estado encaminados a privar a su población de cualquier información verdadera relacionada con los otros regímenes. Privación que iba acompañada de una campaña permanente de desinformación. Así, es de todos conocido el famoso pasaje televisivo en el que el comentarista soviético describe la penuria en el Oeste, mientras filmaba la fila de los clientes que se agolpaban en Fauchon, durante la época de Navidad, o la fila de consumidores comprando pan en Poilâne (ni que decir tiene que lo que no filmaba era los *croissants*).

Pero la información es inmaterial y utiliza cada vez más sistemas inmateriales, con ondas de radio y satélites de comunicación. Lenin había declarado que el socialismo eran «los Soviets y la electricidad». Pues bien, es justamente la electricidad la que va a condenar al socialismo leninista de Europa del Este, ya que permitirá la utilización de receptores como radio, televisión y magnetófonos, gracias a los cuales se recibe no sólo la información oficial, sino también la no oficial.

Diferencia económica

El distanciamiento económico entre las dos Europas también puede desaparecer si se toma conciencia de la necesidad de aplicar otro tipo de política.

Los métodos económicos del marxismo-leninismo parecen desembocar irremediablemente, cualquiera que sea el Estado que los lleve a la práctica, en el empobrecimiento y la penuria. Todos los países en los que se han impuesto dichos métodos han constatado un descenso de su producción agrícola y, a menudo, de su nivel de vida. Aunque esta realidad siempre ha sido desmentida por las estadísticas oficiales, que sólo destacaban los resultados del crecimiento. Pero dichos resultados no aparecían nunca en las tablas de población, y el «crecimiento» seguía siendo muy débil, incluso se podría decir que a veces *negativo.* Lo único que garantizaba la supervivencia de la población era la existencia de una economía paralela y el mercado negro.

Si intentásemos encontrar las causas por las que se descubre el desarrollo continuo y agravado de una economía en crisis enmascarada bajo el maravilloso término de *democracia popular*, la respuesta sería porque no se puede estar siempre mintiendo a la gente. Sucede que llega un momento en el que *los hechos*, inflexibles como la realidad misma, acaban por salir a la luz. Y cuando esto sucede, nadie puede negarlos, ni siquiera el secretario del partido comunista más poderoso del mundo.

Se pone de manifiesto el famoso proverbio que dice aquello de «ver la paja en el ojo del vecino y no ver la viga en el de uno mismo». Los dirigentes comunistas denunciaban continuamente la pobreza que existía en los países capitalistas, el inevitable empobrecimiento de los países con una economía de libre mercado, que llevaría a la ruina a América del Norte y a Europa Occidental.

Pero no veían que, en sus propios países, el empobrecimiento generaba no sólo unos niveles de vida realmente bajos, sino, en muchas ocasiones, la miseria.

Una nueva frontera

Aparte de la eterna marcha hacia una liberalización política y económica, otro de los factores que confluirán en la evolución de la migración será la reunificación de Alemania, reclamada por los manifestantes de la parte oriental bajo el *slogan* «Alemania patria unida», en alemán «Deutschland einig Vaterland»; *slogan* que será retomado a partir del 31 de enero de 1990 por el entonces primer ministro de la R.D.A., Hans Modrow.

Esta reunificación corresponde a una nueva frontera, a una especie de *Far West* económico, cuyo resultado será doble o nada. Y dicha frontera puede generar el despertar de un país amorfo frente a su propio envejecimiento. La reunificación tiene una dimensión psicológica de efectos difícilmente previsibles, pero cuyas consecuencias podrían ser considerables.

La modificación de la distribución política y económica en Europa pasará por diferentes escenarios, tanto en lo relacionado con la evolución de los indicadores del movimiento natural de la población como los que hacen referencia a los movimientos migratorios.

En fin, los factores de evolución que acabamos de señalar nos llevan a considerar que el futuro se decidirá fundamentalmente sobre cinco escenarios, a no ser que se produzca una mezcla entre algunos de ellos, o que aparezca un sexto escenario.

Una lógica implacable

El primer escenario del movimiento natural consiste simplemente en prolongar los efectos de lo que ha estado sucediendo durante los últimos treinta años. Según esta hipótesis, las evoluciones de población están ligadas a la lógica implacable de las leyes demográficas.

A largo plazo, si no hay efectivos suficientes susceptibles de garantizar el reemplazo de las generaciones, a falta de renovación éstas desaparecerán. Como el pobre Parlamento libanés que no puede renovarse[15]. Cada muerte que se produce, supone el efectivo de una unidad menos; si no hay otra unidad para sustituirlo, el Parlamento acabará por desaparecer.

Las fases teóricas de una evolución de estas características, cuyo final nos parece impensable, resultan de un encadenamiento sucesivo. Y aunque vayan a una velocidad tan lenta como la de una apisonadora, se suceden unas a otras irremediablemente en razón de la inercia propia de los fenómenos de población. Una baja tasa de fecundidad continua provoca un principio de envejecimiento de la población, que más tarde se acentúa, hasta que la población acaba por desaparecer, como sucedió con los Amerindios del siglo XVI. Pero no es necesario remontarnos a un ejemplo tan lejano en el tiempo y tan dife-

[15] Lo cierto es que, en mayo de 1991, a falta de elecciones democráticas, el Parlamento ha resuelto incorporar nuevos miembros.

rente del caso que nos ocupa, ya que este mecanismo se produce muy cerca de nosotros, cada año, en algunas aldeas y pequeñas comunidades rurales: el número de muertes es mayor que el de los nacimientos, el número de jóvenes es inferior al de las personas muertas, las escuelas se cierran por falta de niños, la fecundidad baja y la población envejece, desaparecen los comercios y, finalmente, desaparecerá incluso la aldea.

La evolución de una población con una fecundidad baja bien merece un análisis estadístico de rigor científico. Como el realizado por Jean Bourgeois-Pichat[16], según el cual la población de una Europa con una baja tasa de fecundidad, que, en el 2025, sería de mil millones trescientos mil habitantes, descendería a 774 millones en el 2100, y a 100 millones en el 2200. Y esto en el supuesto de que los índices nacionales de fecundidad de Alemania Occidental continuasen como hasta ahora. Si descendiesen hasta un nivel inferior a 1, como en Munich o la Liguria, la evolución de esta baja tasa de fecundidad sería más rápida. Y no se piense que los efectivos de población decreciente corresponderían a poblaciones normales. Se trataría de poblaciones extremadamente envejecidas, en las que la generación joven sería muy reducida. Por eso, aunque un escenario así pueda parecer inimaginable, conviene que dediquemos unos momentos a la reflexión.

Lo peor quizá no ha llegado, pero lo cierto es que los síntomas de dicho envejecimiento existen. La vieja Europa está pasando a ser una Europa de viejos. Y no parece que los actuales debates europeos sean demasiado vigorosos respecto a esta realidad que parece ya inevitable. Sucede más bien al contrario, se intenta sacar el máximo provecho del descenso de la natalidad. Una natalidad baja implica una menor inversión en población, por lo que el envejecimiento no resulta tan doloroso. Es como si comparásemos el fenómeno del descenso de la natalidad con un período de incubación. Ya no se produce

---

[16] «Population», XXXXIII, 1, enero-febrero 1988, pp. 9-44.

el reemplazo de las generaciones, sino un envejecimiento de la población, pero no se es consciente de ello. Y así como el árbol oculta la espesura del bosque, de igual manera la preocupación por solucionar los problemas a corto plazo nos hace olvidar las realidades a medio plazo.

En este primer escenario del envejecimiento, la reunificación alemana no va a modificar forzosamente los datos referentes a la población en Europa. Es cierto que dicha reunificación ha colocado en el centro del continente al país más poblado, con 78 millones de habitantes, cantidad que podría conducir a un intento, por su parte, de reafirmar su poderío. Al respecto, quizá debería aprovechar la ocasión para señalar que los europeos han actuado un poco a la ligera al decidir el número de diputados europeos que corresponde a cada país de Europa –porque se ha establecido un número fijo–, sin tener en cuenta las diferencias de niveles de población de los diferentes países, y sin considerar la evoluciones que pueden producirse en los próximos años.

Sin embargo, desde el punto de vista histórico, los efectos derivados del número de habitantes de Alemania podrían ser pasajeros, ya que este país es el menos joven de Europa.

Voluntad de vivir

Un segundo escenario susceptible de modificar el equilibrio demográfico europeo podría darse si la verdadera revolución política vivida en el centro y en el este de Europa se tradujese en importantes cambios de comportamiento.

Lo mismo que los pájaros liberados de sus jaulas revolotean a veces en todos los sentidos, a lo largo de 1990 se ha producido el pulular de numerosos pueblos que han recuperado su libertad. Aunque quizá sería más apropiado hablar de una proliferación de poblaciones que ha generado el renacer de un sentimiento de adhesión a una comunidad y a una identidad, así como la aparición de una confianza que puede resultar favorable para la fecundidad. Porque la resignación al envejecimiento de una población se transformaría en una voluntad de vivir, estimulada por el único objetivo del desarrollo de las libertades y del potencial económico. Lo que supondría un regreso hacia una nueva vitalidad demográfica.

Los límites del escenario Este-Oeste

El escenario más generalizado en relación a los movimientos migratorios es el de las migraciones Este-Oeste, que empezaron hace tiempo debido a las diferencias políticas y económicas. Así, en 1989, 720.000 personas de origen alemán entraron en la R.F.A., de las que 345.000 procedían exclusivamente de la R.D.A. Y eso que el muro de Berlín no cayó hasta el 9 de noviembre de 1989 (pero el 10 de septiembre de ese mismo año se había abierto la frontera entre Polonia y Austria, y el 4 de noviembre la de Checoslovaquia y la R.D.A.)

Estas migraciones seguirán produciéndose en el conjunto de Europa del Este si sus dirigentes no ofrecen al pueblo la confianza en la posibilidad de un futuro mejor. Por eso Moscú ha aceptado tan rápidamente los cambios en Europa del Este, para tratar de frenar dichas migraciones.

Sin embargo, convendría relativizar este escenario Este-Oeste.

«Trabajar en el país»

En el supuesto de que se produjese un relanzamiento económico en el Este, posiblemente sus ciudadanos preferirían trabajar en su propio país antes que hacerlo fuera. Esto nos situaría en un cuarto escenario de emigración: el del Oeste-Este. Es decir, la posibilidad de que algunos inmigrantes del

Este que viven en el Oeste sintiesen deseos de volver a sus raíces.

La continuación de las migraciones de europeos del Este hacia Europa Occidental no es forzosamente inevitable. Cuando un pueblo ha recuperado su libertad, puede sentir deseos de elegir el lugar en el que instalarse. Pues bien, los alemanes orientales quizá continúen emigrando a la zona occidental, pero esta emigración podría tener un límite. Y quizá lleguen emigrantes de otros lugares, pero esto dependerá directamente de la situación política y económica de los países del Este. Si la vía democrática refuerza el peso de las libertades, y si la apertura permite el desarrollo económico, ¿por qué ir a buscar fuera lo que está en marcha en el propio país? La hipótesis más optimista nos llevaría a imaginar que los países del Este podrían incluso beneficiarse de una doble inmigración: la de sus propios ciudadanos dispuestos a regresar a su país una vez recuperada la libertad, y la de los técnicos y especialistas de los países del Oeste que vendrían a instalarse y colaborar en el desarrollo de las relaciones económicas europeas. Pero, si las desgracias continúan en el Este, no debemos descartar que el éxodo político y las migraciones económicas para sobrevivir sigan produciéndose.

Las migraciones Sur-Norte

En el marco de los posibles escenarios migratorios sobre los que se decidirá el futuro, existe un quinto escenario más probable que el de las migraciones Este-Oeste, Oeste-Este. Es el de los países del Tercer Mundo, en los que, desde 1920-1930, se ha ido reproduciendo la primera revolución demográfica a un ritmo acelerado, sobre todo en comparación a lo sucedido en Occidente, donde se desarrolló en un período de 150 años aproximadamente.

En estos países, y especialmente en África, se registró en

un primer momento un descenso considerable de su tasa de mortalidad, lo que generó un incremento de su población. Y como la fecundidad se mantuvo bastante elevada, a excepción de algunos países donde se produjo una clara disminución, la tasa de crecimiento de la población, aunque en descenso, es también alta. En particular en el continente africano, donde la tasa de fecundidad es casi cuatro veces superior a la de Europa.

Por tanto, el Magreb, que en 1950 tenía 22 millones de habitantes y 65 en 1994, podría contar con casi 100 millones de habitantes para el año 2025, más que los cinco países de Europa del Este (fuera de los territorios de la ex-R.D.A. y la U.R.S.S.), si las curvas se prolongan, pero con una población joven.

Los diferenciales de presión demográfica entre el sur y el norte del Mediterráneo representan pues un potencial de migración considerable, sobre todo por la juventud de su población. Y esta presión migratoria sólo podrá ser contenida si el Sur consigue encauzar sus recursos humanos mediante un desarrollo apropiado.

En resumen, del examen de los hechos y de las perspectivas previsibles se extraen las siguientes conclusiones:

–La gran diferencia de poblamiento entre las dos Europas reside en la presencia de un importante contingente de población inmigrante en Europa Occidental, compuesto por personas de origen europeo y no europeo, así como la existencia en Europa del Este de minorías nacionales que son a veces localmente mayoritarias.

–El conjunto de los países europeos pasa por un proceso de envejecimiento de la población, especialmente en Europa Occidental.

–En Europa del Este no hay reserva de población suficiente susceptible de equilibrar el envejecimiento de aquellos países de Europa Occidental cuya proporción de jóvenes va disminuyendo y cuya población activa puede disminuir a largo plazo, excepto que se prive al Este de sus recursos humanos.

–Aunque la emigración Este-Oeste es más que probable, no podemos descartar un escenario opuesto. Sin embargo, este fenómeno migratorio podría ser menos relevante que el del Sur-Norte derivado del *aumento de los desequilibrios demográficos.*

5. ¿Una civilización del *ego*?

Las evoluciones socio-demográficas de las sociedades europeas no son fruto de la casualidad, ni tampoco resultado de un sentido de la historia que hubiese podido ser previsto por cualquiera de los seguidores de esta teoría.

En efecto, Karl Marx y sus discípulos escribieron largo y tendido sobre la pobreza en el sistema capitalista y, en consecuencia, sobre su inevitable fracaso.

Malthus y sus numerosos seguidores manifestaron sus temores ante las trágicas consecuencias que podrían derivar de una evolución positiva de la población. Los neo-malthusianos, en el informe del Club de Roma de 1972, condenaron con dureza el incremento de la población declarándose partidarios de frenar cualquier tipo de crecimiento, incluido el económico. Pero ninguno fue capaz de prever el retroceso tan considerable de la fecundidad europea que, para entonces, ya había comenzado. Tan sólo dos intelectuales, Alfred Sauvy[1] y Pierre Chau-

[1] Antes de la Segunda Guerra mundial, Alfred Sauvy había sido uno de los inspiradores del *Code de la Famille,* votado en Francia en 1939, y cuyos efectos se dejaron sentir hasta 1964, pero que fue perdiendo fuerza después debido a los duros golpes que se le asestaron (cf. capítulo 7). Pierre Chaunu ha publicado *Le refus de la vie, analyse historique du présent,* París, Calmann-Lévy, 1975.

nu, comenzaron a desmontar a partir de 1960 el mecanismo de lo que se nos venía encima. Pero no se les concedió el más mínimo espacio televisivo.

Incapacidad para comprender

¿Cuántas veces no habremos leído que las evoluciones son simples constataciones y, como tales, inexplicables? Como si los cambios sociales dependiesen de una casualidad misteriosa y fluctuante, y no de fenómenos susceptibles de ser comprendidos por los hombres.

Nunca antes el escepticismo y el historicismo habían desempeñado un papel tan importante en su rechazo a examinar las realidades.

El escepticismo es, sin lugar a dudas, tan antiguo como el pensamiento humano. Considera que todo es aleatorio, incluso el mundo; cualquier afirmación es arbitraria. Total, ¿para qué? El escéptico se encierra en una habitación sin ventana, con la puerta cerrada a cal y canto; se aisla y rechaza cualquier análisis, cualquier estudio; se niega a abrir su mente. Para él, nada explica nada. Hay que evitar, por tanto, emitir cualquier juicio. Su único objetivo es trabajar en su torre de marfil, aislado de la realidad, rechazando cualquier contacto directo con los hechos.

Aunque el historicismo se diferencia del escepticismo en el sentido de que no rechaza analizar las cosas, en definitiva conduce a los mismos resultados porque lo relativiza todo. Considera que toda verdad evoluciona con la historia, que no hay nada permanente. El presente, por ejemplo, sólo podría explicarse y ser comprendido por el presente. Como si el presente pudiese ser entendido sin considerar los conocimientos de la naturaleza humana, ni los elementos étnicos, ni la herencia cultural e histórica...

En realidad, tanto el escepticismo como el historicismo,

representan posturas demasiado cómodas de quedarse con la parte más superficial de cualquier cuestión; llegan a examinar minuciosamente, incluso rayando en el perfeccionismo, la punta visible del iceberg, olvidando que hay una parte sumergida que en realidad es la que contiene los aspectos cualitativos esenciales.

A lo largo del siglo XX «hemos asistido al cambio, a la crítica a veces radical de los valores fundamentales de nuestra cultura judeo-cristiana, para dejar paso a la indiferencia y al desencanto», como podemos leer en la presentación de la colección de libros titulada «Morales», editada en 1991 por Autrement. De donde se deduce que el gran cambio sociológico producido en el último tercio de este siglo no puede ser analizado independientemente de la evolución de la vida moral.

Pérdida de la conciencia geográfica

Son muchos los elementos que confluyen desde los años 60 hasta llegar a desembocar en la pérdida del sentido de la continuidad, en el complejo de Cronos. Y cuando se pierde el sentido de la continuidad, se pierde en definitiva la conciencia.

El ritmo impuesto por la vida moderna conduce a muchas personas al desarraigo. Por una parte, la urbanización acelerada provoca un cierto divorcio entre el hombre y su entorno. Al desaparecer las distancias geográficas, las relaciones del hombre con la naturaleza y con sus raíces se ven modificadas. Por otra parte, la multiplicación de las técnicas de transporte acaba con el aislamiento de muchos lugares y de muchos países; el hombre descubre nuevos horizontes, y su acción favorece una serie de cambios que contribuyen a hacer más placentero el ámbito material de la vida. Sin embargo, al distanciarse de su origen geográfico, los hombres se alejan asimismo de sus raíces, pierden las características del hombre-habitante que vivía en simbiosis con su entorno. Y si a esto añadimos los errores que se han ido cometiendo en materia de urbanismo, no sólo zozobra la conciencia geográfica del hombre, sino también aquella conciencia que le unía a la vida de las comunidades locales en las que él participaba. Además, el hombre no siempre consigue encontrar un nuevo equilibrio en las zonas urbanas que lo han acogido, ya que resulta realmente difícil redescubrir las raíces en esos barrotes, en esas torres, en esas urbanizaciones en las que el hombre puede llegar a sentirse más como en un campo de concentración, sin historia y sin geografía, que en un lugar digno para vivir.

Despreocupación por el mañana

A este desarraigo tan extendido, debemos añadir la prioridad que se le otorga al yo. Las sociedades desarrolladas no parecen preocuparse por el futuro; en cierta manera, es como si el futuro estuviera ya asegurado. El aumento de la esperanza de vida y la mejora de las condiciones sanitarias restan, *a priori*, importancia al mañana; la mayor parte de la gente sabe lo que puede ganar; la casa y la comida están generalmente garantizadas, así como las probabilidades de levantarse sano cada día. En consecuencia, el mañana ya no inquieta tanto como sucedía en la época anterior a la revolución industrial, en la que el futuro estaba lleno de incertidumbres para la gente: incertidumbre por los recursos alimenticios en función de las inclemencias del tiempo, incertidumbre por las condiciones de vida e incertidumbre por la mortalidad, siempre presente en cada momento de sus vidas.

El hombre de los países industrializados de finales del siglo XX puede olvidarse del futuro, incluso hacer como si éste no existiera. Su única preocupación es ocuparse de sí mismo, de su yo de cada día, de su *ego* cotidiano. Además, el modo de vida de la sociedad industrial ha eliminado de tal manera las diferencias entre una estación y otra, que el presente no depende apenas del pasado ni está en relación con el futuro, mientras que en la época anterior a la industrialización, mundo en su mayoría rural, ningún día era una jornada sin conexión con el ayer ni el mañana; cada día era ante todo un día de una estación determinada, con los riesgos que de eso derivaban. Las actividades de un día de otoño eran forzosamente diferentes a las de un día de primavera o de invierno. Cuando en la sociedad industrial el hombre consigue dominar a la naturaleza, los días se parecen cada vez más. Al no tener que preocuparse ni por los cambios estacionales ni por el futuro, el hombre se repliega exclusivamente en su «yo actual». Y este «yo» se inquieta sólo ante los gastos generados por la sociedad de consumo y por los placeres del instante, rechazando todo aquello que pudiera implicar cualquier tipo de preocupación suplementaria.

El hijo incompatible

En el esquema que acabamos de señalar, el hijo aparece como algo molesto, incluso como un parásito, alguien que impide vivir la propia vida, que atenta contra la primacía dada al «yo actual». Porque no solamente transforma bruscamente la vida cotidiana, sino que obliga a integrar en ésta el sentido de la continuidad. Hay que esforzarse cada día en educarlo correctamente para que, en el futuro, pueda ser capaz de asumir sus propias responsabilidades. Por tanto, la llegada de un hijo y la posibilidad de vivir el presente sin preocuparse por el mañana son incompatibles.

Por otra parte, una sociedad que pierde su memoria, que vive sin memoria, que quiere aprovechar el momento presente refugiándose al máximo en el placer fugaz del instante, sin plantearse la continuidad, tampoco se muestra receptiva ante la llegada de los hijos. El hijo es memoria, es la herencia de una cadena de generaciones que, eslabón tras eslabón, acaba por tomar el relevo. Aunque no sea la reproducción exacta de sus padres, porque él es creación, lo cierto es que no existiría si antes que él otros no hubiesen ido pasando el relevo humano a través de los siglos. Cuando en la conversación de cada día decimos: «Se parece a su padre, a su madre, a su abuelo paterno o a su abuela materna», lo que hacemos es manifestar a través del lenguaje que el hijo es memoria; que su existencia se inscribe en una sucesión de continuidad; que no es el resultado de una generación espontánea. Con su sola presencia recuerda a sus padres, o al menos al inconsciente de sus padres, que el tiempo pasa, y que el hombre es mortal, pero que, mientras vive, se impregna en el recuerdo de los que se quedan, que la vida del hombre se desarrolla en una continuidad temporal.

Retomando la fórmula de Pierre Chaunu, el rechazo de la vida supone, pues, un doble rechazo: rechazo del futuro y rechazo de la memoria. Además, como escribe Umberto Eco, la memoria, «¡es el alma, es la identidad espiritual! Imagínese que puede reencarnarse: ¿qué interés tendría si no recuerda su existencia pasada? La memoria es también el cimiento de la sociedad, representado en otra época por el "anciano" al que en la actualidad se encierra en hogares para jubilados»[2].

Toda sociedad se basa en la complementariedad entre sus generaciones. Si se olvida esta complementariedad, deja de ser una sociedad de personas, para dar paso a una sociedad de individuos en la que cada uno piensa solamente en su *ego*, conforme a lo establecido, e incluso prescrito, en un mundo en el que la inmediatez oculta la historia, la memoria y el sentido de la sucesión, de la misma manera que el árbol impide a veces ver la espesura del bosque.

---

[2] *Le Figaro littéraire*, 5 de febrero de 1990, p. 5.

El tiempo o el pasatiempo

Es conveniente establecer la distinción entre vivir su tiempo y vivir pasando el tiempo. Lo primero consiste en inscribir cada uno de nuestros actos, de nuestras palabras y de nuestras acciones en la continuidad, tratando de vivir al ritmo que imponen tanto los momentos de intenso trabajo como los necesarios para el descanso.

Vivir pasando el tiempo es matar el tiempo con placeres fugaces, independientes unos de otros, sin conexión temporal. Y el privilegio dado a los pasatiempos y a la rentabilidad del instante se manifiesta claramente en la institución de las líneas calientes. Para que los establecimientos públicos y las empresas privadas puedan sacar el máximo partido de las rentas que perciben, la norma establece que cualquiera puede acceder a estas líneas, incluso de forma involuntaria. Así, cualquier niño que esté jugando con su videoconsola puede encontrarse, sin querer, y sin saber que existe este tipo de servicios, con una de estas líneas calientes, por el simple hecho de haber dado a una tecla equivocada, cuando buscaba simplemente el resultado de cualquier acontecimiento deportivo o acceder a un juego.

La solución a este problema es muy simple. Bastaría con incorporar las líneas calientes a los servicios llamados *profesionales*, a los que sólo se puede acceder previo pago de un abono y conociendo un código de acceso. De esta manera, se evitaría que los niños corriesen el riesgo de verse confrontados a un escaparate de pornografía. Pero no se lleva a cabo esta reforma, tan sencilla técnicamente, porque se considera que los ingresos financieros del Estado y de algunas sociedades con fines lucrativos son más importantes que la educación de este ser minúsculo que construirá el mundo del mañana y que necesita protección. Hacemos todo lo posible por proteger a los niños contra las enfermedades del cuerpo mediante la inyección de vacunas. ¿Por qué no intentar lo mismo protegiéndoles contra las enfermedades del alma, contra aquellos males en los que el instinto bestial acaba por prevalecer sobre la dignidad humana?

Georges Bernanos escribió una frase muy dura, pero clarificadora, que subraya el carácter degradante del materialismo: «Los materialistas viven su vida como los animales, al nivel del pesebre».

El economismo

Al tiempo que se produce el cambio económico, facilitado lógicamente porque es un paso esencial en la mejora del nivel de vida y, en consecuencia, en la lucha contra la pobreza, se desarrolla una actitud en la que dicho cambio queda reducido al racionalismo del instante, una especie de ideología de lo cuantitativo, a la que yo llamaré economismo, que no es sino la tendencia a dar sistemáticamente prioridad a los aspectos económicos de las cosas. Y aunque no hay nada escrito sobre ella, lo cierto es que tiene bastantes seguidores.

El poder económico pasa a ser un poder en sí, que domina y reduce los otros aspectos del desarrollo humano. Por eso, en la actualidad, las relaciones humanas que se desarrollan en el marco económico son cada vez más duras y agresivas. Como si la eficiencia económica estuviese reñida con la sensibilidad y la humanidad.

En nombre de un materialismo casi totalitario, el interlocutor se convierte en el adversario al que hay que dominar y aplastar, sacando el máximo partido de sus defectos y dejando a un lado sus cualidades. La dimensión positiva que los valores humanos pueden aportar a la vida profesional queda de esta manera excluida.

Este economismo se ve reforzado por la dinámica existencial de la sociedad de consumo, en la que «el tener más» parece primar siempre sobre «el ser más». De donde resulta que la fugacidad de los placeres materiales se antepone a la vida, y lo económico acaba por prevalecer sobre cualquier otro aspecto de la vida del hombre.

La tiranía del *a corto plazo*

El economismo es una especie de tiranía del *a corto plazo,* en cuyo nombre se justifica cualquier manera de actuar y de comportarse. Parafraseando un conocido e inmoral proverbio, podríamos decir que «el corto plazo justifica los medios». El corto plazo es el continente, no el contenido. Los medios de comunicación modernos tienen tanta prisa por dar informaciones nuevas que puedan resultar impactantes, que casi siempre olvidan exponer el contenido, es decir, lo esencial. Se limitan a mostrar la máscara, el parecer, no el ser.

El resultado son las malas informaciones, el dar a conocer el *parecer,* que nunca debemos confundir con el *ser.* Se nos presenta una sociedad de lo efímero, en la que cada instante sólo existe por sí mismo. Lo importante es estar *a la moda,* es decir, dejarse llevar por la corriente de aire que sopla en cada momento. Hay que ser moderno, aun con el riesgo permanente de quedar desfasado por la moda siguiente. Hay que estar al día, incluso con el temor de ser ridiculizado por la actualidad de mañana. Hay que rendir culto a lo nuevo, que posteriormente no tardará en ser enterrado por algo mucho más novedoso. Hay que vivir el instante y saber burlarse de lo que se admiraba un momento antes. Si decimos a cualquier adolescente que algunas de las maravillosas canciones que escuchan son versiones de otras que se cantaban en los años 60, con toda seguridad no creerán lo que les contamos. Esa canción sólo puede ser un producto actual, no del pasado. Lo que les ha impulsado a comprar ese tipo de música es *moderno, actual.* Porque todo deber ser *del momento actual,* como si el hoy no fuese una continuación del ayer. Como si la verdadera modernidad no consistiese en apoyarse en lo heredado para hacerlo fructificar.

Cuando es la continuidad de la humanidad lo que fundamenta el progreso. Por eso, aquellas civilizaciones que no supieron asegurar esta continuidad se limitaron a vegetar, y las ideologías que hicieron abstracción de ella evolucionaron hacia atrás y acabaron degenerando. Porque, como escribió Pascal: «la continuidad de los hombres, a través de los siglos, debe ser considerada como el mismo hombre que subsiste siempre y que aprende continuamente.»

A esta tiranía del *a corto plazo*, debemos añadir otros siete parámetros que, combinados entre sí, son el reflejo de una sociedad que no cesa de preguntarse, que no parece capaz de ver las cosas con lucidez. Estos parámetros son: el retraso de la madurez, la primacía de lo emocional, el retraso del matrimonio, el retraso del nacimiento del hijo, la prioridad del *ego* sobre el hijo, la pérdida de valor de la función educativa y la duda.

El retraso de la madurez

Este retraso de la madurez es el resultado de una doble evolución: por una parte, los períodos de formación son más largos, y por otra, se han dejado a un lado algunos de los ritos que simbolizaban la iniciación a la edad adulta.

En la actualidad, la dependencia del niño dura más tiempo. Antes, la escolaridad era obligatoria hasta los catorce años. Ahora lo es hasta los dieciséis. Las necesidades aconsejan que la etapa de formación escolar en la enseñanza se alargue hasta una edad mucho más avanzada. La preocupación legítima por aprender más y por obtener diplomas de un nivel y especialización cada vez más elevados crea nuevas sujeciones que se traducen en un retraso del comienzo de la vida activa y de la asunción del propio futuro fuera del entorno familiar en el que se ha vivido.

En el Evangelio de San Marcos (X, 2-12), Jesús dice: *«Y*

dejará el hombre a su padre y a su madre.» Lo que significa realmente: nacerá a la madurez de su vida de adulto. Pero lo cierto es que este cambio se realiza a una edad cada vez más tardía.

Al ser el período de formación más largo, el proceso de maduración de los jóvenes es, pues, más lento, lo que lleva consigo un retraso en el comienzo de su independencia.

Existe asimismo un segundo factor que explicaría este proceso de maduración más lento: la supresión casi total de algunos ritos que cooperaban en ese camino hacia la madurez. Un ejemplo lo tenemos en una región francesa, la Vendée, donde la experiencia de estos ritos es a veces impresionante, sobre todo cuando se constata la importancia del alcohol en la ceremonia que simboliza el fin de la infancia y el paso a la edad adulta[3].

Para celebrar la entrada en esa nueva etapa de su vida, el debutante iba de ronda y bebía alcohol, con lo que quedaba claro en su inconsciente que ya era un hombre, forzosamente «maduro». Por otra parte, y en relación a este tema de los ritos de paso a la vida adulta, existía también la Juventud Agrícola Cristiana (J.A.C.), un lugar esencial de formación y encuentro. En 1961, la J.A.C. desapareció con estas siglas y se creó el Movimiento Rural de la Juventud Cristiana (M.R.J.C.). Sin embargo, aunque no niego los esfuerzos que los animadores de este movimiento han realizado y siguen realizando, no debemos olvidar que 1961 es tàmbién la fecha en la que la militancia espiritual en la J.A.C. disminuye.

Otro rito, el de la despedida de soltero del joven, solía contener símbolos muy fuertes.

Podía ir acompañado del entierro real de un féretro lleno de botellas al que se le llamaba el *cercueil des fillettes*. Las *fillettes* eran, por supuesto, las botellas. Pero tambien se toma-

---

[3] Cfr. Christian Hongrois, *Faire sa jeunesse en Vendée dans le canton de la Châtaigneraie,* Maulévrier (Maine-et-Loire), Hérault-Editions, 1988, p. 127.

ba en su sentido original, que traducido al español significa *jovencita*. En realidad, lo que se pretendía simbolizar con este rito era que el matrimonio significaba fidelidad. Luego, cuando nacía el primer hijo, el féretro era desenterrado, representando con ello que era asimismo sinónimo de fecundidad.

Algunos ritos de paso incorporan, por tanto, los valores de fidelidad y fecundidad. Valores que parecen mucho menos aceptados en la actualidad, tal como se desprende de las cifras que indican la disminución de los matrimonios, el incremento de los divorcios y el descenso de los nacimientos.

Lo cierto es que este retraso de la madurez diferida que resulta de las necesidades de formación y de la desaparición de algunos ritos de iniciación puede conducir a una madurez insuficiente, que se traduce en un no conocer bien al otro y un no saber vivir de acuerdo a sus propias posibilidades. De donde deriva, por un lado, una falta de madurez afectiva. Por momentos nos comportamos con el ser querido como si de nuestro compañero ideal se tratase, pero cuando la realidad aparece detrás de ese mito ideal, el amor puede transformarse en odio. Y por otro lado, una falta de madurez financiera. Influidos, incluso a veces engañados, por la publicidad, solicitamos unos préstamos que están en clara discordancia con nuestras posibilidades reales. El resultado es un endeudamiento excesivo que se va agravando con el tiempo.

Así las cosas, esta madurez tardía o insuficiente no favorecerá en absoluto una disposición favorable frente al matrimonio o la vida.

El matrimonio es un proyecto de vida en pareja que se inscribe en la continuidad. Por lo tanto, sólo podrá ser duradero si la pareja respeta una moral, a menudo más implícita que explícita, en la que ambos coinciden para construir su futuro. El camino a recorrer será maravilloso, pero difícil; habrá altibajos, momentos alegres y momentos tristes, agresiones externas, tensiones, etc. Pero nada de esto podrá superarse si no se respetan las reglas de vida que la pareja ha aceptado.

Y lo mismo que el matrimonio, los hijos son también un proyecto de vida, incluso más difícil, sin lugar a dudas. Porque, como creación que es, y no reproducción, el hijo, con sus actitudes y su voluntad de ser él mismo, hará la vida más plena. Aunque haya igualmente momentos en los que, por su comportamiento, por su deseo de querer autoafirmarse llevando la contraria, pueda resultar exasperante.

Sin embargo, este niño sólo podrá nacer si la pareja, en el fondo de sí misma, cree en la vida, aunque no lo enuncie formalmente, y si tiene claro en su inconsciente que está participando en la continuación de la aventura de la vida, en el reemplazo de las generaciones.

En los años 70 dominaron unas ideologías que iban en contra de todas estas nociones de proyecto, de continuidad y de herencia. Pero yo me pregunto: si hacemos tabla rasa del pasado, si ninguna generación es heredera de la anterior, ¿para qué sirve hacer proyectos que no se inscriban en ningún espacio temporal? Y si una generación no tiene nada que transmitir a la siguiente, si ésta no posee ninguna herencia cultural, si carece de riquezas espirituales que comunicar a sus eventuales descendientes, ¿para qué sirve tener descendientes?

Está claro que la ideología de un mundo que sólo se fundamente en las riquezas materiales carece de valor, sobre todo en comparación con aquélla en la que existen proyectos tanto de matrimonio como de nacimientos.

Primacía de lo emocional, no de labrarse un camino

La característica de esta ideología es la destrucción de la noción de tiempo, aun cuando se sabe que ésta es esencial. Para Pierre Chaunu, el comienzo de la aventura de la humanidad data de hace 40.000 años, cuando los hombres entierran por primera vez a un muerto porque descubren que la muerte confiere algo esencial a la vida, el tiempo. Sin embargo, lo que predomina muy a menudo en la actualidad es la civilización de lo emocional. Pocas veces se valora el compromiso con el futuro. El cambio por el cambio parece ser el *non plus ultra*. Las modas pasan cada vez con mayor rapidez. Y excepto aquéllos que están «in» (por emplear una expresión muy a la moda, que supone el regreso a un lenguaje elemental reducido a unas cuantas palabras y, por lo tanto, muy empobrecido), el resto de la gente se entera de que la moda que impera es una u otra cuando ésta ya ha quedado desfasada.

En general, el modelo de vida de la generación de los años 80, que podríamos llamar la generación del «clip», no es el de esforzarse por labrarse un camino, ni el de comprometerse en un proyecto de vida, sino vivir emociones, las emociones del instante, vivir una sucesión de emociones que no tienen relación entre sí, y que son emociones intemporales porque niegan el tiempo. En definitiva, vivir cosas muy alejadas de lo que podría ser un proyecto de vida conyugal o un proyecto familiar.

Retraso del matrimonio

En todo este contexto, el matrimonio no es presentado como el fin de la adolescencia ni como la puerta hacia un nuevo proyecto de construcción, sino que se asimila con el final de un trayecto, con una vía muerta, con ese momento terrible en el que hay que abandonar la civilización de lo emocional para aceptar ser más *formal*.

Si analizamos los anuncios publicitarios costeados por el Estado que sólo sirven para engrosar las arcas de algunas empresas parafarmacéuticas[4], podríamos preguntarnos si esta civiliza-

[4] Esta crítica podría parecer bastante dura, pero lo cierto es que estos anuncios no van dirigidos a las personas con mayor riesgo de contraer el mal que desean combatir y, además, presentan esas alternativas como la única respuesta a un riesgo sanitario que bien merece otro tipo de medidas preventivas.

ción de lo emocional no debería ser llamada simplemente *la civilización de la goma.* En junio de 1990, en las estaciones de tren francesas principalmente, se pudo ver un cartel publicitario, sin firmar, en el que aparecían dos jóvenes adolescentes tumbadas en la playa, abrazadas a otro joven. Los tres con una sonrisa maravillosa. El único mensaje que dicha publicidad transmitía era el siguiente: «Los preservativos os desean felices vacaciones».

Esta claro que la lucha contra el SIDA es más que deseable. Pero hacer de un trozo de goma la condición necesaria y suficiente para luchar contra esta enfermedad, el objeto *sine qua non* de la felicidad, es reducir la vida a bien poco.

Frente a ese tipo de publicidad, el dibujante Reiser, absolutamente corrosivo, ya había mostrado en una de sus colecciones cómo una civilización que rechace la vida está condenada al fracaso.

La lámina[5] representa la historia de una pareja europea que visita un país del Sur y compara la fecundidad de una familia que disfruta de la vida con su propio rechazo a tener descendencia. Al final, mientras la pareja contempla una puesta de sol en el mar, el hombre dice: «el sol es como las civilizaciones, lo más bonito es siempre su final». Y a continuación añade: «Pero ¿por qué tiene que ser así?». Y en el último dibujo dice a su esposa: «¡Venga, quítate el DIU, te lleno el vientre y volvemos a empezar de cero!». A lo que su mujer contesta feliz: «¡Te tomo la palabra!». Ya veremos que esta respuesta de la esposa va a ser muy importante. Pero, antes de darla, habían ido retrasando la llegada de este hijo.

Retraso del nacimiento del hijo

Es cierto que el entorno ambiental no favorece la llegada de ese hijo. Al contrario, anima a posponerlo, pretextando los

[5] Reiser, *Phantasmes,* Éditions du Square, 1980, p. 92.

argumentos más diversos y concluyentes. Se advierte sobre las dificultades que plantearía el tener un hijo, sin considerar que, a menudo, es él quien crea los mecanismos que van a permitir superar dichas dificultades. Al adoptar esta actitud frente al niño, resulta que, a veces, no se encuentra el momento adecuado para tenerlo. Y cuando ese momento llega, tras haber sido largamente pospuesto, en lugar de simbolizar la plenitud de la pareja, produce el efecto contrario. Porque cada cosa debe suceder en su momento oportuno. Lo mismo que en el matrimonio. Hay parejas que conviven durante varios años y, al final, se casan. Incluso preparan su matrimonio. Parece que todo ha discurrido a las mil maravillas: tras un largo proceso de aprendizaje de la vida en pareja, la decisión de contraer matrimonio ha sido bien meditada y madurada... Sin embargo, algunas parejas que han vivido este tipo de experiencias se separan pocos meses después de haberse casado. Quizá porque el matrimonio no llegó en el momento adecuado, porque lo retrasaron durante demasiado tiempo.

De lo dicho hasta el momento respecto a la actitud de posponer el matrimonio y la llegada del hijo, ¿cabría establecer una relación entre esta actitud y el proceso de aprendizaje durante la época infantil? La verdad es que no resulta fácil responder a esta pregunta. Pero lo cierto es que el niño que no adquiere determinados conocimientos, a hablar y escribir por ejemplo, a la edad en que puede hacerlo con facilidad, más tarde tendrá enormes dificultades para conseguirlo.

El *ego* contra el niño

La decisión de tener o no tener hijos, ¿es algo que concierne íntegramente a los padres?

Ante esta pregunta, responderemos diciendo que la decisión de tener uno o varios hijos no es una decisión estrictamente individual ni tampoco adoptada por ambos cónyuges sin considerar las interferencias del entorno social en el que se mueven.

Sin ir más lejos, muchas familias han vivido reacciones negativas de su entorno ante su deseo de tener hijos. Por otra parte, los discursos transmitidos a través de los medios de comunicación no van en una dirección favorable a la vida. Al contrario, abogan más por la «contra-accepción» del niño que por su «accepción» (y la forma en que escribimos «contra-accepción» nos parece esencial).

La sociedad se olvida del niño, y, en contra de lo que pudiera parecer, la presencia de éste en los medios de comunicación es cada vez menor. Hasta el punto de que podríamos considerar como excepcional[6] cualquier publicidad en la que aparezca un niño (por ejemplo, la campaña de imagen de Rhône-Poulenc, en 1988, que tenía como tema: «Bienvenido a un mundo de salud, confianza y esperanza») o una familia (la campaña que se hizo en 1988 para presentar el nuevo Volvo modelo familiar).

Según un estudio[7] realizado por el *Bureau de Vérification de la Publicité,* el tema de la familia no interesa demasiado a los publicistas, y las familias numerosas aparecen en contadísimas ocasiones.

Los resultados de una encuesta realizada en 1987 son muy significativos a este respecto. La televisión es el medio que más atención presta a la familia, aunque en una proporción bastante débil: sólo en el 12 % de los anuncios de la televisión se representa a la familia, o al menos se aborda el tema familiar. Las campañas de prensa en relación a este tema son menos frecuentes: poco más del 1 %. Los carteles publicitarios se sitúan en orden al 5%. La radio apenas si hace alusión a la familia, aunque parece ser que este medio no se presta demasiado a ello...

---

[6] Cf. «Population et avenir», n.° 590, noviembre de 1988.

[7] Cf. «Population et avenir», n.° 586, noviembre-diciembre de 1987, p. 10.

Estas cifras corresponden a cualquier tipo de publicidad que aborda, en mayor o menor medida, el tema de la familia. Si consideramos las cantidades globales (12 % para la televisión, 5 % para los carteles publicitarios y 1'26 % para la prensa), podríamos distinguir la proporción de los mensajes en los que aparece una familia al completo: 32 % para la televisión, 9% para los carteles publicitarios y 37 % para la prensa.

Por supuesto, la presencia de la familia varía en función del tipo de producto que se oferte: la alimentación encabeza la lista, seguida de los servicios y del sector de mantenimiento y equipamiento.

Pero convendría hacer una matización respecto a estos resultados que acabamos de señalar: la débil presencia de la familia en la publicidad no es un dato invariable. Hace apenas quince años, la familia era a menudo un tema de referencia en la propaganda publicitaria: en 1968, la prensa lo hizo en el 18 % de los casos; en 1970, la televisión en el 40 %.

Ahora bien, no es solamente el entorno publicitario el que puede influir en la decisión de los hijos que se desea tener. Existe también el entorno inmediato de la pareja. Es decir, los familiares, conocidos, vecinos, etc., que no llegan a comprender por qué la pareja no hace como todo el mundo: ser moderno y utilizar las técnicas de contracepción más eficaces.

En consecuencia, los padres potenciales pueden sentirse incómodos ante las reacciones desfavorables de una sociedad para la que el niño supone más una carga que un acontecimiento feliz.

Cualquiera que sea, por tanto, la opinión que se tenga con respecto a la publicidad, la conclusión a la que se llega es siempre la misma. Como la publicidad es el reflejo de las preocupaciones de una sociedad, la familia y el niño están, en la actualidad, estadísticamente marginados, excluidos, ocupando tan sólo un 0'47 % de la publicidad en prensa, un 0'45 % en los carteles publicitarios y un 3'84 % de la publicidad en televisión. Y su marginación es mayor en tanto en cuanto la publicidad dicta los modelos a seguir. De donde deriva una actitud desfavorable con respecto a la nupcialidad y a la natalidad y una notable adhesión a la civilización del *ego*.

Una actividad devaluada

En este contexto, y puesto que la familia sigue existiendo, apenas se valora el hecho de que una madre decida suspender su actividad profesional para consagrarse a la educación de sus hijos.

Basta escuchar los comentarios que se hacen al respecto para comprender que no resulta cómodo ser una mujer que trabaja de ama de casa. Como si fuese algo anormal dar prioridad a la actividad familiar sobre la actividad profesional durante un tiempo. De hecho, algunas mujeres apenas hablan de su papel de ama de casa, y otras insisten tanto, que parecen estar molestas por tener que realizar dicho papel.

El caso es que ni la función paterna ni la materna son reconocidas como uno de los aspectos más importantes de la existencia. Sirva como ejemplo el testimonio de una mujer, alcaldesa de la capital de una región francesa. Curiosamente, ella no se había presentado como candidata electoral. Se lo habían solicitado. En realidad, ejercía una profesión liberal. Pues bien, ella misma aseguró: «Si hubiese sido ama de casa, no habrían venido a solicitarme para ejercer funciones municipales.»

Dicho de otra manera, la sociedad no concede demasiado valor al hecho de asistir un hogar, lo considera más bien una tarea secundaria.

Sin embargo, no ha existido nunca una sociedad en la que el niño, desde el momento en que nace, haya podido educarse solo, alimentarse, vestirse, prepararse para la vida social, etc.

La educación supone que, en determinados momentos, debe haber adultos que la asuman en las mejores condiciones. Y la historia nos muestra que la pareja formada por los padres es efectivamente insustituible. Por eso, cualquiera de los modelos que las sociedades colectivas proponen como sustituto de la familia, desde la ciudad platónica al modelo marxista-leninista, pasando por la eugénica Ciudad del Sol de Thomas Campanella, han fracasado. Basta leer el libro escrito por Aldous Huxley en 1932, *Un mundo feliz,* para comprender adónde puede conducir la voluntad de destrucción de los sentimientos maternos y paternos.

La duda

Por tanto, además del mecanismo de la segunda revolución demográfica, existen toda una serie de parámetros sociológicos susceptibles de explicar el porqué de estos cambios tan considerables y tan rápidos que se han producido en las cifras de población. Ante tales acontecimientos, es difícil evitar que la duda se apodere de la gente cuando todo cambia. En algunas regiones, esta duda se ha reflejado en un descenso brutal de las prácticas religiosas. Parece como si la conexión tan fuerte a las comunidades de vida que existió en las generaciones precedentes hubiese provocado el efecto contrario en la siguiente generación.

Así, retomando el ejemplo de la Vendée que citábamos antes y que puede ser representativo de otras regiones, los padres y las madres se formaron en la Juventud Agrícola Cristiana (J.A.C.) porque aceptaron adherirse al espíritu creyente y riguroso del marco –religioso, sobre todo– de lo que fue un gran movimiento juvenil, que no sólo contribuyó a la formación humana, técnica e intelectual de esas personas, sino que facilitó la adaptación de esa zona rural a los tiempos modernos. Pero algunos de estos antiguos miembros de la J.A.C., una vez adultos, empiezan a analizar ese período de su vida en el que se entregaron por completo al movimiento. Y no es extraño que aparezca en ellos un espíritu crítico en relación a aquella comunidad de la J.A.C., en la que las posibilidades que se ofrecían excluían cualquier veleidad individualista o anárquica. Porque, influidos por el ritmo vertiginoso de los acontecimientos que se producen en un mundo en el que uno no sabe a ciencia cierta si tiene los pies en su sitio, a estos adultos les asalta la duda.

Y sus hijos sienten esa inquietud. Aunque inconscientemente, ellos también la han experimentado. ¿Cómo creer en la vida cuando no se sabe si existe todavía algo en qué creer?

Cuando el consumismo triunfa sobre la vida, las sociedades favorecen todos aquellos gastos susceptibles de aportar de forma inmediata los mayores beneficios a la economía. Por lo que, según este razonamiento, no existe apenas un lugar para el hijo. Porque los gastos que genera son gastos de inversión –lo que en el lenguaje económico se llama inversión en recursos humanos–, no de consumo. A los que habría que añadir otros gastos importantes destinados a cubrir toda una serie de necesidades que deben ser satisfechas. El hijo llega a desentonar en una sociedad desarraigada en la que los modelos dominantes se oponen a todo proyecto susceptible de encadenar a hombres y generaciones en un proceso de creación de comunidades de destino.

No resulta, por tanto, extraño que haya tan pocos niños en Europa. Las interacciones entre los nuevos procedimientos técnicos, absolutamente eficaces, y las evoluciones sociológicas han conducido lógicamente a esta especie de complejo de Cronos, que se traduce en la disminución de la población joven y el consiguiente envejecimiento del continente.

6. Valores verdaderos *versus* pseudovalores

«El número que usted ha marcado no corresponde a ningún abonado». Esta frase grabada en un contestador que cualquier persona ha podido escuchar alguna que otra vez después de haber marcado un número de teléfono resume quizás algunos aspectos de una sociedad en la que parece que los números de referencia ya no existen, debido sin duda a los efectos devastadores de unos datos informativos contradictorios.

El pasado superado, el futuro inexplorable

Existen determinadas ideologías, sostenidas por discursos, escritos y actitudes, que contribuyen de manera especial a confundir a la opinión pública. Estas ideologías consideran que el presente es el único punto de referencia consistente, la única referencia incapaz de desmoronarse. Del pasado habría que hacer tabla rasa. Porque todo pasado sería siempre superado debido a la renovación y aparición de técnicas y conocimientos nuevos, que facilitarían justamente la superación de dicho pasado. Ni el pasado habría aportado nada al presente ni contribuiría en absoluto a su comprensión. Y así como el presente sería totalmente independiente y no tendría conexión alguna con el pasado, el futuro sería otro mundo absolutamente diferente e inexplorable porque sólo aportaría novedades *ex nihilo,* sin ningún punto de referencia ni en el pasado ni en el presente. Por tanto, lo único que prevalecería sería el momento presente, porque el pasado habría sido destruido y el futuro sería imprevisible.

En la actualidad hay tres ideologías que contribuyen a la creencia de que el presente, lo cotidiano, es la única certeza válida. Algunos consideraron que a finales del siglo XX se produciría la muerte de las ideologías y el mundo entraría en una especie de *soft-idéologie,* algo así como un suave consenso. Pero la realidad es diferente. Hoy como ayer, los hombres siempre han elaborado representaciones de la sociedad susceptibles de transmitir tanto valores verdaderos como aquéllos que podríamos considerar como pseudovalores. Lo bello, lo verdadero, lo que está bien son valores verdaderos. Las ideologías que no persigan estos fines serían pseudovalores. La democracia, por ejemplo, aunque sea «el peor de los sistemas, con excepción del resto», como decía Winston Churchill, es un bien. Y lo es porque, al presentar de antemano cada programa al electorado, impide que el poder se tiranice, a no ser que éste emplee la fuerza y acabe con el sistema democrático. Sin embargo, el totalitarismo, que dificulta el ejercicio de la democracia, es un pseudovalor porque se oculta bajo un discurso y una propaganda que hace que muchos hombres e intelectuales lo vean como un valor verdadero. Pensemos, por ejemplo, en todos los hombres libres, como los poetas Louis Aragon y Pablo Neruda, que han magnificado el totalitarismo como si fuese un «futuro luminoso».

Las sociedades actuales asisten a la difusión de determinadas tendencias de pensamiento que, ocultas bajo la máscara de la racionalidad, propagan y rinden honores a todos esos pseudovalores. Tres de estas tendencias, a la cabeza del resto, tienen una denominación clara: el neocientifismo, con sus pretensiones eugénicas, el neo-hiperfeminismo y el neo-relativismo.

El neocientifismo

«Deben adoptarse las medidas necesarias para que las cualidades físicas de los niños engendrados respondan a los deseos del legislador.» ¿Quién escribió esta sentencia? ¿Lo hizo Hitler en su *Mein Kampf*, en 1924? ¿O lo hizo alguno de sus colaboradores, cuando el régimen nazi propuso que los retrasados mentales, sordos y ciegos fuesen esterilizados? ¿Pudo salir de la reunión que en 1939 mantuvieron en Escocia siete genetistas para proponer la utilización de las técnicas de manipulación genética, con el fin de conseguir que el nivel medio de la población alcanzase el coeficiente intelectual que ellos se atribuían? ¿Fue escrita por el Premio Nobel de Medicina de 1962, Francis Harry Compton Crick, un inglés que era partidario de conceder autorización para tener hijos sólo a aquellos padres que hubiesen pasado previamente unas pruebas para verificar sus datos genéticos?

Pues no lo hicieron ni unos ni otros. Fue escrita hace veinticinco siglos en la Grecia antigua por Aristóteles, en su tratado *La política*, en el que el gran filósofo, que tanto ha aportado al pensamiento, desarrolló algunos planteamientos totalmente opuestos a la contribución moral de lo que será la era cristiana.

Vemos, por tanto, que la tendencia a afirmar que toda verdad científica es superior a la verdad humana y que, en consecuencia, debería prevalecer sobre esta última es una historia que viene de tiempos remotos. Es el mito de Prometeo, la ambición desmesurada, según la cual el hombre podría igualarse a Dios.

El análisis que Pierre Thuillier hace al respecto es el siguiente: «Hay muchos indicios que coinciden en mostrar la existencia de unas condiciones favorables para que se produzca el resurgir del eugenismo. Las biotecnologías de la reproducción humana, la fecundación *in vitro*, los bancos de esperma, etc., se desarrollan y ocupan ya un lugar habitual en la vida cotidiana. La tendencia a tecnificar tanto esta función esencial hará que se multipliquen las ocasiones de proceder a la realización de tests genéticos y que se refuerce la *selección* genética. Las ventajas son evidentes, pero surge, al mismo tiempo, la tentación de llevar a la práctica lo que podríamos llamar un eugenismo dulce, de tipo moderado y tecnocrático. Baste recordar que, de 1941 a 1975, 13.000 personas fueron esterilizadas, en contra de su voluntad, en un país en principio democrático: Suecia. Y esto se hizo en nombre de una «higiene social» o de una «higiene racial». Así, se esterilizó a jóvenes por ser «coquetas, crédulas, zalameras y ligeras de cascos», y a adolescentes que pudiesen aparecer como *asociales*[1].

La verdadera filosofía del neocientifismo aparece de esta manera enmascarada bajo unos objetivos presentados como agradables que serían los siguientes: conseguir que haya hombres limpios y sanos, liberados del riesgo de contraer determinadas enfermedades; impedir que nazcan niños con deficiencias físicas o psíquicas y reducir los gastos de sanidad. Las personas ya habrían sido previamente programadas para no sufrir ninguna enfermedad gracias a una especie de medicina predictiva. En definitiva, se trata de permitir que los padres tengan la total seguridad de que los hijos que vayan a nacer serán perfectos, sin ningún defecto.

La perfección técnica

La continuación natural de esta perfección en el nacimiento sería una perfección técnica en el otro extremo de la vida, el de la muerte. Considerémonos como dioses y rehagamos la naturaleza humana. Dominemos a la muerte, decidiendo el momento en que se ha de producir, mediante el recurso a un sistema generalizado de eutanasia activa.

[1] Pierre Thuillier, *Les passions du savoir*, París, Fayard, 1990, p. 168.

Este tipo de proyectos son promovidos, de forma directa o indirecta, por aquéllos que piensan que el ser humano no es un individuo con una dignidad personal, sino solamente una de las innumerables piezas de la estructura biológica de la humanidad, a la que se considera como un todo, como una inmensa máquina.

«El tabú de la muerte ha sido superado, como lo fueron anteriormente el del sexo y el de la interrupción voluntaria del embarazo. La ética moderna se parece en esto a la moral antigua», declaró un antiguo senador[2] en defensa de la eutanasia activa (pero cuidándose muy mucho de dar ejemplo).

Frase corta y muy densa que lo dice todo. Hay que volver a la antigüedad, borrar toda la huella de los valores que la Biblia y Jesús dejaron a la humanidad. Algo que Hitler ya intentó. Ahora bien, debemos reconocer, tanto si somos creyentes como si no lo somos, que dichos valores son un logro único de la humanidad, como escribió Paul Eluard. La única medida de protección que se puede dar al hombre es reconocer su trascendencia, considerándolo como una criatura única, irremplazable y abierta a la libertad. Sólo así conseguiremos también poner una barrera al poder político. Hitler, por el contrario, dio fuerza de ley a la ideología eugenista, que otorga al poder dominante cualquier derecho sobre la vida, la muerte y la mutilación de sus individuos. Y esta ideología reaparece después de algunos años bajo la máscara engañosa de la dignidad del hombre o de la mujer. Pero abramos bien los ojos porque se trata del mismo pensamiento totalitario. Pensamiento que tendríamos que saber reconocer, como debería haber sucedido con el nazismo si no se hubiesen tenido los ojos tan ciegos. Porque Hitler se limitó a poner en práctica lo que previamente había anunciado en el *Mein Kampf*, y los que transmiten una ideología de tendencia eugenista siempre realizan lo que han anunciado o escrito con anterioridad.

---

[2] *Le Figaro*, 19 de noviembre de 1987.

Para los defensores del eugenismo, la forma más elaborada del totalitarismo, el ser humano no es nada en sí mismo; el hombre, que se define como una consciencia de sí autónoma, no existe. El ser humano carece de existencia específica, no es en absoluto esa maravillosa creación irreductible. La tierra no está poblada por hombres que representan cada uno una vida, la vida, y que son portadores individualmente de una especificidad irremplazable.

Por eso, como el hombre, en tanto que persona, no existe, el mensaje judeo-cristiano de respeto hacia él no tiene ningún alcance. Todo es justificable: tanto las exclusiones basadas en la función social, o lo que es lo mismo, la esclavitud, como las fundamentadas en los orígenes étnicos o en la pertenencia a una religión determinada, ejemplo claro de racismo. Y los menos racistas no son precisamente aquéllos que más hacen valer su antirracismo.

A éstas, añadiremos otras nuevas exclusiones que se observan en la actualidad, disimuladas de una manera un tanto hipócrita, fundamentadas en unas decisiones o en unos actos considerados como científicos: son las exclusiones *biológicas* mediante el aborto provocado y la eutanasia activa.

Para los defensores de esta ideología biológica, la tierra es solamente un vasto sistema biológico que debe funcionar por sí mismo. En cierta manera, el universo es como un gran mecanismo, y el ser humano sólo una célula entre otras muchas, una pieza dentro del engranaje general, igual que la hormiga en el hormiguero descrito por Rémy Chauvin[3]. Solamente existe para beneficio del sistema. Por lo tanto, el sistema decidirá, o bien de manera oficial según el método hitleriano, o bien mediante la violación de las conciencias según el método propuesto por el neocientifismo, qué células han de ser consideradas como inútiles, inutilizables o irrecuperables. Y esto

---

[3] Rémy Chauvin, *Dieu des fourmis, Dieu des étoiles*, París, Le Pré aux clercs, 1988.

desemboca en la deshumanización de un mundo que está fascinado por las técnicas totalitarias, como lo describe George Orwell en su novela *1984* publicada en 1949. La película realizada por Fritz Lang en 1926, *Metrópolis*, también refleja muy bien este mundo.

Los que piensan que toda vida humana se fundamenta en el respeto hacia el ser humano deben saber que, desgraciadamente, las ideas de Hitler no han muerto. Inspirado por una ideología muy cercana a la del fundador del nacionalsocialismo, aunque se defienda con horror de esta acusación, el neocientifismo actual propone esquemas de pensamiento *prêt-à-porter* que conducen no sólo a la destrucción de los valores más fundamentales de la humanidad, sino que, en definitiva, pueden acabar con la humanidad tal cual porque niegan el derecho a la vida y a la dignidad de cada ser.

Esta ideología revestida de virtudes técnicas rechaza, pues, claramente el papel de la familia en tanto que realidad biológica.

¿Qué habría ocurrido si este neocientifismo hubiese sido aplicado en otros tiempos?, ¿qué no habría perdido la humanidad? Pongamos dos ejemplos al respecto. Según el programa genético de sus padres, Ludwig van Beethoven no habría nacido, y su *Himno a la alegría* no formaría parte del patrimonio de la humanidad. Y lo mismo hubiese sucedido con el asmático Marcel Proust. Si no hubiese sido por su asma, que le obligaba a encerrarse en su habitación, se habría dispersado por los salones mundanos y posiblemente jamás habría escrito *En busca del tiempo perdido* ...

Aunque haya que luchar contra la enfermedad como mal científico que es, en algunos casos puede ser un bien para el hombre. En efecto, no es raro encontrar personas que, después de haber superado una grave enfermedad, le rinden homenaje porque su lucha contra el mal les ha dado la fuerza de carácter necesaria para ver la vida de forma positiva. Lo cierto es que, en el intento, aparentemente loable, de acabar con aquellos eslabones del código genético susceptibles de provocar tal o cual enfermedad en el niño que va a nacer, aunque la probabilidad de causar dicha enfermedad sea débil o no esté bien medida –operación cuyo éxito hay que demostrar todavía–, se corre el riesgo de fabricar un hombre tan perfecto técnicamente, que será indiferenciado.

Hombres perfectos

El papel de la medicina es el de curar enfermos, no el de fabricar modelos *standard* de niños, calibrados como si se tratase de manzanas que hay que vender en un supermercado. Por otro lado, es ilusorio creer que las manipulaciones genéticas podrían producir hombres sin enfermedades. Es cierto que éstas dependen de los genes, pero también de los comportamientos, del entorno y de la casualidad. Y el niño médicamente perfecto y estéticamente ideal no existe. Además, hay que contar con los fracasos de las manipulaciones genéticas, y principalmente con sus efectos indirectos imposibles de prever, cuyas consecuencias, en caso de error, pueden resultar trágicas.

Toda intervención quirúrgica acarrea unas consecuencias. Además, el hecho de que todo hombre corra el riesgo de sufrir una apendicitis no significa que sea conveniente quitar por sistema este anexo del intestino ciego. Que pueda tener caries dentales no implica que haya que ponerle dentadura postiza desde pequeño. Y que las amígdalas puedan inflamarse tampoco significa que haya que extraerlas *a priori* a todo el mundo. Los médicos saben que cada órgano tiene sus funciones determinadas. Y con los genes sucede posiblemente lo mismo. No hay certeza de que se los pueda clasificar en dos categorías, los buenos y los malos. La realidad biológica es mucho más compleja. Cualquier intervención que se realice en el hombre genera aspectos positivos y aspectos negativos y exige, por tanto, un diagnóstico prudente y preciso.

Cuanto más justificada está la investigación en el marco de una medicina preventiva para luchar contra las enfermedades inevitables que acechan al hombre, y la vacuna es la prueba de la eficacia de estas intervenciones, tanto más peligroso e ilegítimo resulta el querer crear al hombre técnicamente ideal, eliminando –¿en qué fase?– a aquéllos que no respondan al modelo impuesto.

Además, ¿qué es un hombre normado? ¿Quién va a definirlo? Y en este intento, ¿no acabaría siendo el cuerpo solamente una máquina cuyas piezas habría que tratar de mantener en buen estado? No olvidemos que el hombre no es ni un simple cuerpo ni un puro espíritu, sino un compuesto complejo de estas dos entidades, cuyas naturalezas son contradictorias.

El *gulag* del alma

Formarse un concepto mecanicista del ser humano, en el que los genetistas fuesen los montadores, los médicos los reparadores y los cirujanos los mecánicos, equivaldría a separar el cuerpo del alma, de la sensibilidad, del pensamiento y de la consciencia. El neocientifismo, al reducir al hombre a la categoría de objeto susceptible de ser manipulado mediante un código, no hace sino crear un terrible *gulag*, el *gulag* del alma, que encierra al hombre en una hiperracionalización.

De ahí a la creación de una sociedad infrahumana no hay irremediablemente más que un paso. El alma, encerrada en su *gulag*, ya no podría ofrecer ni arte ni cultura, es decir, aquello «que hace que el hombre sea más hombre», según palabras de Cicerón.

La manipulación estrictamente biológica de la especie humana supone, en nombre de una normalidad decidida subjetivamente por los gobernantes, el final del respeto hacia el ser humano en el misterio de su destino y el final de la poesía y del amor humano en beneficio de un *Homo biologicus* considerado como un *Homo œconomicus*. El hombre no es un utensilio. Pero lo cierto es que el neocientifismo se ve estimulado por algunas firmas farmacéuticas que lo consideran como una enorme fuente de ingresos, por algunos biólogos que esperan la gloria de convertirse en los descubridores de las causas de una parte de las enfermedades humanas, y por algunos médicos dispuestos a vender a padres inquietos la ilusión de un hijo sin defectos, aunque totalmente unidimensional. Esta ideología neocientífica se despliega en toda su amplitud olvidando que el hombre no es una mercancía, sino un ser cuyo derecho a la dignidad es lo único que puede garantizar la libertad de las sociedades.

La única vía que el neocientifismo promueve es la del totalitarismo, la que Aldous Huxley describió en su libro *Un mundo feliz*, un mundo en el que Mefistófeles habría ganado al conseguir reducir al hombre a la animalidad. Goethe se habría equivocado, sobre todo en su segundo *Fausto* inacabado. Fausto, es decir, el hombre, en lugar de encontrar la paz consigo mismo, se habría vuelto loco debido a la influencia del genio del mal, que no sería sino el abuso del genio genético. Porque toda obra humana puede conducir a lo mejor o a lo peor; lo único cierto es que depende del uso que se haga de ella.

El neo-hiperfeminismo

El neocientifismo se completa con otro pensamiento que, al razonar como si determinados procedimientos biológicos estuviesen ya disponibles, transmite la idea de una sociedad post-humana, «liberada» de la masculinidad y de la feminidad. Es el neo-hiperfeminismo, que nació en el transcurso de los años 80. Pero expliquemos la elección de este término.

El feminismo bien entendido es el reconocimiento de la dignidad de la mujer, que es un ciudadano con todos los derechos y deberes. Por ejemplo, el feminismo que consiguió el derecho de voto para las mujeres era un feminismo sano. Sin embargo, en Francia, son absolutamente injustificables las decisiones de 1983 que no concedieron a algunas mujeres el derecho de voto para las elecciones a los Consejos de administración de las *caisses de protection sociale.* Y lo mismo cabe decir de los países del Islam, que aspiran a ser democráticos, pero que deberían saber que, para conseguirlo, hay que conceder el voto personal a todos los ciudadanos, cualquiera que sea su sexo o su estado matrimonial.

El hiperfeminismo que surgió en Europa Occidental en los años 60 no tenía nada que ver con el verdadero feminismo. Para este hiperfeminismo, el futuro de la mujer pasaba por convertirse en hombre. La mujer sólo podría realizarse plenamente imitando en todo al hombre, hasta el extremo de rechazar el tener hijos, a los que se consideraba como un castigo. La mujer debía negar su realidad biológica, destruir el orden natural que le otorgaba la primera de todas las riquezas, la de poder dar la vida. Incluso muchas de estas hiperfeministas llegaron a la conclusión de que la mujer sólo sería realmente libre si destruyese su diferencia biológica. Pero este discurso hiperfeminista acabó por agotarse, sin duda porque estaba en desacuerdo con las realidades humanas fundamentales, es decir, demasiado alejado de la verdad que, en palabras de santo Tomás de Aquino, es un acuerdo inteligente con la realidad.

El discurso del neo-hiperfeminismo apareció a mediados de los 80. Este pensamiento no es sino una especie de refugio de un hiperfeminismo en declive, cuyo razonamiento es el siguiente: puesto que la negación de la especificidad biológica de las mujeres fue un fracaso, debemos cambiar el discurso. Ya no hay que decir que la mujer se comporte como un hombre, sino que el hombre posea idénticas condiciones biológicas de vida que la mujer.

Las dos corrientes –la del hiperfeminismo y la del neo-hiperfeminismo– son parecidas. En nombre del igualitarismo, ambas niegan las diferencias entre el hombre y la mujer. Hay que aislar la especificidad biológica de la mujer otorgando al hombre la posibilidad de poder tener hijos. La igualdad en el tratamiento de ambos sexos no es suficiente. Deben llegar a ser los dos biológicamente equivalentes. Hay que crear una sociedad compuesta por hombres unidimensionales, en la que los caracteres masculino o femenino originales ya no tengan significado porque ya no establecen ninguna diferencia práctica.

De esta manera se llegaría a la verdadera sociedad sin-familia que tantos esperan. De hecho, ni siquiera sería una sociedad sin-familia, sino a-familiar. Una sociedad que ha acabado con el amor y, en consecuencia, con la familia. Una sociedad en la que cualquier relación queda reducida a un narcisismo mortífero. En definitiva, la sociedad soñada: individualista, egoísta y, por supuesto, estéril. Una sociedad a punto de morir, mejor dicho muerta, porque ha matado el amor y el sentimiento de la vida.

¡Qué sociedad tan triste aquélla en la que todos son parecidos, en la que nadie se complementa, en la que el individuo puede aislarse porque ya no necesita del resto! Y lo peor del caso es que el neo-hiperfeminismo no es simplemente un pensamiento. En algunas circunstancias se han establecido reglamentaciones que han producido discriminaciones en contra de las familias legalmente constituidas.

Debemos señalar igualmente que los medios de comunicación han contribuido a dar un amplio eco a esta ideología que podríamos comparar con el terrorismo intelectual, ya que conduce a la destrucción de los valores fundamentales de nuestras sociedades, entre los que destaca la familia. Algunos dirán que no es un terrorismo físico porque no se mata a nadie. Pero es una especie de injuria contra la naturaleza humana, tal como Epícteto lo entendía a comienzos de la era cristiana: «Si alguien entregase tu cuerpo al primero que llega, te sentirías indignada. Y cuando tú entregas tu alma al primero que encuentras para que la turbe y la trastorne, si éste te injuria, ¿no sientes vergüenza por ello?»

La inutilidad del varón

La difusión del pensamiento del neo-hiperfeminismo no es en absoluto despreciable porque, en la sociedad occidental, a través de numerosos medios de información, se propaga la idea de que el papel del padre debe estar limitado a la fecundación. Y ni siquiera aquí su presencia sería necesaria, vienen a decir más o menos explícitamente. Gracias a la inseminación artificial se puede pasar de él y tener un hijo previo pago por el semen que un varón anónimo ha donado para tal fin. Por ejemplo, un semanario francés, *Le Nouvel Observateur*, en marzo de 1989 publicó una encuesta de la que podía deducirse, tras una rápida lectura, que el celibato y la maternidad sin padre eran el futuro de la mujer[4]. La presencia del hombre tendría únicamente una utilidad temporal cuando la mujer, atiborrada de pastillas, sintiese el deseo de ofrecerse una diversión. El resto del tiempo, nada mejor que vivir sola, eventualmente con uno o varios hijos, sin tener que cargarse con su(s) padre(s) biológico(s). Y en el caso de necesitar un compañero, cualquier hombre podría servirle, con tal de que se ganase la vida convenientemente, que fuese un poco manitas y que pudiese meter en cintura a los pequeños monstruos traídos al mundo.

En sí misma y con respecto a la historia, esta sociedad a-familiar preconizada por la ideología neo-hiperfeminista podría no resultar sorprendente porque en otros tiempos ya existieron sociedades matriarcales. Sin embargo, lo novedoso de este final del siglo XX sería que los propios progresos técnicos (bancos de esperma, inseminación artificial) facilitan ese matriarcado. Y no deja de ser paradójico el comprobar que esta ideología matriarcal se está desarrollando en una época en la

---

[4] Otro tanto sucede con algunas políticas sociales que tienen enormes efectos negativos. Cfr. Philippe Beneton, *Le fléau du bien*, París, Robert Laffont, 1983.

que los conocimientos genéticos que se han ido adquiriendo han acabado por demostrar que el padre y la madre tienen un rol absolutamente complementario.

En efecto, las sociedades antiguas no disponían de tantos conocimientos como tenemos en la actualidad. Por eso no debe sorprender que creyesen que el papel del padre era mínimo o que el de la madre era secundario. Pero mantener esto en nuestros días, es vivir con cuatro siglos de retraso. En el siglo XVII, Buffon será uno de los primeros en demostrar que los dos padres intervienen en la creación del niño, y que ninguno de los dos tiene prioridad sobre el otro. Y Mendel, cuya teoría empieza a ser comprendida a principios del siglo XX, había demostrado, en los inicios del XIX, que el niño es el fruto de un doble encargo de dos seres. Estos realizan una procreación, es decir, crean algo nuevo, no una reproducción, que sólo sería una copia de ellos mismos. Sus hijos jamás son el resultado de una clonación.

Al decir que cada vida humana es algo nuevo, no una reproducción, la genética nos permite comprender por qué los textos sagrados de las diferentes religiones honran a la fecundidad como *novación* que es. La razón y la fe se encuentran. Y nos hacen entender igualmente que la vida es un don, ya que el hijo no es el resultado de una «fabricación» de algo equivalente, sino una creación.

Este será uno de los mayores temores del estalinismo. Si cada nuevo recién nacido es una creación, no es el simple reflejo de los que lo han procreado; no es, como Aristóteles creía, y como pensó Buffon en un primer momento, la simple media aritmética de sus padres. El capital genético de los humanos es muchísimo más complejo que el de los guisantes que analizaba Mendel, que sólo variaban en el color (verde o amarillo) y en el aspecto de la epidermis (lisa o rugosa).

El hijo de cualquier comunista, obligado a obedecer al jefe totalitario y al partido único, no estará, por tanto, forzosamente dispuesto a aceptar dejarse adoctrinar. Lo que resulta impensable. De ahí el favoritismo acordado al famoso Lyssenko que, para complacer a Stalin, impuso la creencia de que los caracteres adquiridos se heredaban. Lo que condujo, en los años 50, al *gulag* y a la muerte a todos los verdaderos biólogos de la U.R.S.S. que se negaron a admitir la charlatanería de Lyssenko. Y también a la ruina de la agricultura soviética, debido a la prohibición que se había dado de realizar la selección de las especies.

Por tanto, los partidarios del neo-hiperfeminismo no son en absoluto conscientes de las implicaciones del sistema que ellos consideran ideal. En lugar de observar las realidades, describirlas y compararlas, se dedican a mezclar ideas sin haber valorado ni los fines últimos posibles ni los objetivos de su intento. Retomando la expresión de Émile Durkheim, se limitan a crear una ciencia ideológica.

Pero existe otra variedad de ciencia ideológica inconsciente, que resulta de concepciones implícitamente normativas. Es el caso del neo-relativismo, que se opone a las ciencias de las realidades.

El neo-relativismo

El relativismo consiste en pensar que los valores morales, los modos de vida de una sociedad dada en un momento dado, están relacionados con las circunstancias del período considerado y que, en consecuencia, pueden cambiar en cualquier instante y seguir cualquier dirección. De donde resulta que lo permanente y lo universal son términos inexistentes, están fuera de este campo. Toda verdad es, por tanto, susceptible de cambiar.

Este pensamiento relativista clásico se declara consciente, reflexivo, fruto del estudio de las realidades sociológicas, y se muestra tal cual. El neo-relativismo parte de las mismas conclusiones, pero no las formula claramente, sino que las transmite disimulada e implícitamente a través de sus discursos. Sus conceptos se basan exclusivamente en datos relativos al momento que se está considerando, que utiliza para la creación posterior de modelos. Pero estos modelos integran únicamente datos cuantitativos del momento, a los que no se han incorporado elementos relacionados con la complejidad de las decisiones y acciones humanas, por lo que carecen de argumentación razonable. Muchos de sus estudios se realizan sin tener en cuenta aspectos relacionados con el funcionamiento del espíritu humano. El resultado es, pues, una ciencia que quiere ser ciencia de las realidades, pero que procede excluyendo realidades que tienen relación con el pensamiento humano y/o que engloban aspectos permanentes y universales. No será, por tanto, una ciencia de las realidades, sino simplemente una ciencia de la parte cuantificada de las realidades. François Perroux la asimilaba con una ciencia biológica y la definía como una «ideología disimulada en un sistema de conceptos aparentemente distintos, claros y operacionales»[5].

Con una aproximación de este tipo, la verdad sociológica brilla por su ausencia. Por ejemplo, resulta imposible comprender qué es la familia, porque cualquier análisis de esta comunidad queda reducido a determinados aspectos cuantificables de un tiempo histórico dado, que no tienen conexión con otros tiempos.

La ilusión, peor que el error

El mayor peligro del neo-relativismo no reside en el error, ya que sus trabajos son bastante correctos en su presentación metodológica. Pero debemos desconfiar de tales estudios por engañosos, por querer aparentar que conocen lo que en reali-

---

[5] En un libro colectivo, *Axiologie et sciences de l'homme,* serie «Economies et sociétés», París, Droz, 1971, 180 páginas.

dad desconocen. Es el peligro anunciado por Spinoza del pretendido conocimiento por la consciencia, según el cual el pensamiento se fundamenta en experiencias parciales de un contexto histórico dado. Lo que lleva a considerar una tesis de familia mutante, que induce a creer que la familia está condenada a desaparecer fuera de un espacio temporal preciso, para ser reemplazada por otras instituciones nuevas e imprevisibles.

Una de las formulaciones de esta tesis se apoya en la afirmación según la cual, desde la noche de los tiempos, la familia siempre ha sido una institución. Así, en los esquemas marxistas, esta institución familiar resultaba de la lucha de clases. Por eso, al instaurar la dictadura del proletariado, la construcción del comunismo debe implicar la desaparición *ipso facto* de la familia.

En su libro *La famille incertaine*, Louis Roussel[6] dice que la precariedad biológica de la especie humana, las duras realidades de los regímenes demográficos caracterizados por importantes tasas de mortalidad, la necesidad de encontrar la manera de regular la violencia inherente al hombre y la indispensable complementariedad económica para mejorar los medios de subsistencia impulsaron al hombre a inventar lo que el llama la familia-institución, cuya finalidad sería la supervivencia del grupo y la regulación de los comportamientos. Más tarde, esta institución se vio sacudida por las transformaciones demográficas y los cambios de las condiciones de vida y acabó por desmoronarse. En consecuencia, en la actualidad pesa una gran incertidumbre sobre la familia, como indica el adjetivo utilizado en el título de su obra. Aunque dicho título, como todo título, está condensado y simplificado. La incertidumbre no está en la familia en sí misma, ya que ésta siempre ocupará el primer puesto en la jerarquía social como garante de la existencia de otros grupos sociales: asociaciones, barrios, municipios, empresas, etc. Lo realmente incierto es la definición de un

[6] *Op. cit.* París, Odile Jacob, 1989, 284 páginas.

modelo preciso al que poder vincular la familia en el futuro.

Según esto que acabamos de señalar, la familia habría pasado, pues, de ser un modelo estable y permanente a adoptar formas variadas, cuya principal característica es que no pueden ser englobadas en un modelo único. Pero esta presentación atractiva y fácil de comprender es demasiado sencilla para ser exacta. Porque la realidad histórica de la familia, a través de las sociedades y de las civilizaciones, es mucho más compleja y difiere en sus comportamientos y en sus tradiciones.

El olvido de lo permanente

Las sociedades contemporáneas, como las de épocas pasadas, viven confrontadas a la cuestión de la supervivencia biológica de la especie. En las especies animales, este tema se plantea cuando aparecen los animales de sangre caliente (los pájaros primero, y los mamíferos posteriormente; aunque sabemos que los jóvenes dinosaurios vivían agrupados bajo la vigilancia de un adulto). En unos casos, y si nacen de un huevo, las crías de estas especies son incubadas; en otros, son alimentados por el macho y la hembra, que se alternan, mientras no son lo suficientemente fuertes para poder independizarse y procurarse su propia comida. Se ha creado, pues, una familia.

En la especie humana, la cuestión de la supervivencia es de una actualidad permanente. Aunque, en el crepúsculo de este segundo milenio, se expresa en términos diferentes, ya que depende más de la creencia en la vida que de las agresiones biológicas ligadas a los rigores del tiempo. Pero hoy como ayer, lo cierto es que el futuro siempre ha sido de aquéllos que consideraron a la familia como un proyecto. El mismo Platón, cuando mostraba su preocupación por aquellas parejas que, al tener más hijos de los autorizados, ponían en tela de juicio la autoridad del Estado e impedían la realización del comunismo maltusiano con el que el soñaba, no hacía sino dejar constancia de la vitalidad de las familias de su época.

Algunos señores feudales crearon un impuesto sobre determinados matrimonios susceptibles de restringir su poderío económico. Prueba clara de la independencia de las familias cuando se trata de tomar resoluciones que puedan consolidar su permanencia.

En el último cuarto del siglo XX, y a pesar de las políticas contrarias a la familia en términos de reglamentación social y fiscal, el número de matrimonios sigue siendo importante, aun después de haber sufrido un ligero descenso, e incluso manifiesta una tendencia al alza en algunos países, como es el caso de Francia desde 1987. Y si consideramos todas aquellas familias de hecho que no están en el registro civil, constataríamos que el número de familias no ha descendido tanto como las estadísticas administrativas pretenden hacernos creer.

A través de la historia, la familia ha sido, y sigue siendo, una comunidad humana fundamental, la célula base de la sociedad. Es el crisol inicial y fundamental para el aprendizaje y el desarrollo de un cierto número de valores humanos indispensables para la vida en sociedad. Por eso, un especialista en prehistoria[7] recuerda que, varios milenios antes de la era cristiana, «la institución del matrimonio ya existía en todos los lugares», sobre todo para dar a los que nacen dentro de ella «un estatuto de hijos legítimos».

En consecuencia, ¿cómo se puede hablar de familia mutante cuando la historia muestra que, a través de diferentes épocas, religiones y civilizaciones, ésta se ha caracterizado mucho más por su permanencia que por sus disparidades? Aunque haya habido formas muy variadas de familias, lo cierto es que la existencia de la familia a través de los siglos es una constante natural que no debemos olvidar. Por eso, todo estudio que

[7] Claude Masset. Cf. André Burguère en *Historie de la famille*, París, Armand Colin, 1987, tomo 1, pp. 79-97.

intente realizar una representación general de la familia en un momento dado, fuera de cualquier contexto histórico y sin considerar las realidades precedentes, o no reconociendo las causalidades precedentes que hayan podido influir de una u otra manera, acabará desembocando en conceptualizaciones implícitamente normativas. Se hará una norma de lo que sólo es una realidad parcial, como si la ciencia de las realidades del momento fuese suficiente para llegar al conocimiento auténtico. Sobre todo cuando este último necesita no sólo la información actualizada que su conciencia le permite obtener, sino también ciertos razonamientos y otros conocimientos que puedan servir para facilitar su instrucción.

Asunto complicado

Las tres ideologías que acabamos de señalar complican el panorama actual.

El neo-cientifismo nos conduce a un mañana en el que la ciencia aportará nuevas racionalidades que impondrán una cultura diferente; un mañana en el que las nociones de vida y de muerte se habrán trastocado porque el hombre ya no será un don, sino un producto de usar y tirar, susceptible de ser manejado a discreción para aprender a fabricarlo, modificarlo y destruirlo en cualquier momento en que la sociedad decida hacerlo.

El neo-hiperfeminismo estimula los intentos del neo-cientifismo. En ese mañana, el niño ya no tendrá derecho ni a un padre ni a una madre, a una familia en definitiva, porque las nociones de padre y madre habrán desaparecido, ya que cualquiera de los dos individuos de la antigua dualidad sexual poseerá la capacidad de engendrar. Por lo que el niño podrá ser fabricado en cualquier lugar y educado de cualquier manera. Y como la biología se habrá modificado por completo, se habrá hecho tabla rasa de la historia de los hombres, todo será nuevo;

se habrá llegado incluso mucho más lejos del hombre nuevo deseado, porque ese hombre, aparte de nuevo, será asexuado. No habrá protección frente al totalitarismo, y la única fuerza que consiguió resistir a la apisonadora que quería hacer tabla rasa del pasado, tal y como la historia del siglo XX ha mostrado, tampoco existirá.

El neo-relativismo, finalmente, la última de las tres ideologías antes mencionadas, transmite la idea de que el progreso no debe esperar recibir nada del pasado, que el mundo que hay que construir parte de cero, y que el hombre puede posicionarse excluyendo todos los acontecimientos no efímeros de la historia, porque en el futuro todo será provisional, y lo provisional un todo.

Una muralla contra el totalitarismo

En el marco de estas tres ideologías, la revolución no violenta que los pueblos del Este europeo realizaron entre 1989 y 1990 fue la revancha de lo religioso frente al materialismo y al fracaso económico. Pero fue también la revancha de la familia. El régimen soviético debía «abolir la familia»[8], según declaró el Comisario de Educación de la U.R.S.S. Pero no consiguió su objetivo.

Tras esa revolución, pueblos enteros empezaron a manifestar sus tradiciones y sus creencias ancestrales. La memoria cultural que durante decenios había permanecido desterrada salió de nuevo a la superficie. Se recuperaron algunos nombres de ciudades, de calles y de viejos retratos prohibidos hacía más de setenta años, por la obligación que imperó entonces de hacer tabla rasa de todo.

Pero ¿cómo ha sido esto posible? Cuando se llevó a cabo la

[8] Cf. Gérard-François Dumont, *Pour la liberté familiale,* París, P.U.F., p. 9.

revolución leninista, se enterraron muchas prácticas sociales, nombres y acontecimientos históricos contrarios al poder. Y no hubo ningún cuerpo social encargado de perpetuar esos elementos de un pasado relegado. Lo normal debía haber sido, pues, que los habitantes de los países del Este no conociesen los nombres de su historia porque ésta se revisaba permanentemente. Y lo único que los dirigentes, el Partido, los sindicatos y los movimientos de jóvenes transmitían era esa historia en constante revisión.

En la actualidad, sin embargo, muchas ciudades han recuperado sus antiguos nombres, muchas comunidades han dado a sus calles y a sus plazas sus antiguas denominaciones, y se han rescatado fiestas que habían desaparecido varias generaciones antes.

¿Quién puede, pues, haber mantenido viva la memoria cultural, cuando la censura estuvo impidiendo continuamente cualquier alusión a informaciones no autorizadas, y las milicias obligaban a ser prudente respecto a lo que se hablaba?

Esto sólo ha podido hacerse en el marco de una comunidad natural, la familia. Los que se manifestaron en 1989 y 1990 en el Este, de los cuales casi ninguno sobrepasaba los cuarenta años, no habían tenido nunca ocasión de aprender la historia no revisada de su país. Sin embargo, parecían conocerla muy bien porque ésta había sido transmitida por el único cuerpo intermediario que el poder comunista no consiguió controlar del todo, la familia. Se purgó el Partido, los sindicatos y las asociaciones de masa con el fin de preservar o corregir las listas oficiales; incluso se obligó a los niños a que denunciasen a sus propios padres. Pero todas estas maniobras encontraron en la familia un gran obstáculo porque en ella confluyen lazos biológicos y afectivos muy complejos.

Los acontecimientos de los países del Este aportan, por tanto, mucha luz en el estudio del papel de la familia en la sociedad. Por comparación con los regímenes totalitarios, que están condenados a desaparecer un día u otro en virtud de la sed de libertad inherente a todo ser humano, la familia se inscribe en la continuidad. Es la herramienta de la cadena generacional que transmite las dos memorias, la biológica y la cultural, cualesquiera que sean las dificultades del momento. En la vida de cualquier civilización, el papel de la familia resulta ser tan discreto como esencial. Porque, lo mismo que el presente es el fruto de un pasado histórico, el hombre de hoy es el fruto de un pasado familiar.

Sin embargo, las tres ideologías a las que nos hemos referido antes intentan sembrar la confusión en los espíritus. Y aunque aceptemos que todo es cambiante, lo cierto es que la barbarie está a nuestro alcance, aun cuando «una triste y sombría costumbre nos impida aceptar tranquilamente una evolución hacia el estado caníbal»[9].

Una victoria que hay que encauzar

En un mundo desarrollado, en el que la producción de alimentos no plantea ningún problema, ese canibalismo no se traduce en la voluntad de excluir a algunos hombres comiendo su carne, sino en razón de su edad y condición física. En lugar de aprovechar la victoria sanitaria que hemos conseguido, y que se manifiesta en el aumento del número de personas de edad, respondemos a menudo con el ostracismo.

Esta victoria, como toda victoria, debe ser encauzada en razón de los cambios, de los desafíos y de las eventualidades que de ella se derivan.

Consideremos en primer lugar los cambios. Desde los años 70, los nuevos avances en relación a la mortalidad infantil son, estadísticamente, secundarios, excepto en los países en vías de desarrollo en los que los progresos son todavía posibles. En

[9] Léo Strauss, *Droit naturel et histoire,* 1952, París, Flammarion, 1986, p. 15.

general, el fenómeno más destacado es el del aumento de la esperanza de vida de nuestros mayores, cuyo número asciende y va a continuar ascendiendo cada vez más. Principalmente el de las mujeres, que viven una media de ocho años más que los hombres, debido a un menor consumo de alcohol y tabaco, y porque, al enviudar, parecen acomodarse mejor a su nueva situación.

Evidentemente, esta prolongación de la esperanza de vida, que corre paralela a la desaparición casi total de la mortalidad infantil, repercute en el aumento del número de hombres que pueblan el planeta.

El segundo cambio estaría en relación con el ritmo de las sucesiones. El heredero «útil» apenas suele ser el hijo, sino cada vez más el nieto, e incluso el bisnieto. Lo que plantea grandes problemas, especialmente en lo que a la transmisión de las herencias se refiere.

En cuanto a los desafíos, el primero de ellos implica reaccionar frente a los riesgos de exclusión. El principio democrático debe ser sin duda ampliado a su máxima expresión: «un hombre, una voz, una dignidad» cualquiera que sea su edad.

El segundo desafío estaría relacionado con el incremento del número de personas de edad. Sean cuales sean los avances de la medicina, dicho incremento supone asimismo un aumento del número de personas de edad dependientes. Y lo cierto es que el coste sanitario aumenta con la edad. Por lo que hay que hallar soluciones, o bien ayudando a la familia, o bien tratando de encontrar un nivel de natalidad conveniente con el fin de asegurar un buen equilibrio de las generaciones. En caso contrario, los sistemas de protección social corren el riesgo de sufrir una implosión.

De la misma manera, si no se tiene en cuenta esta fantástica evolución de la esperanza de vida que no sólo permite prolongar la vida, sino también prolongar la actividad de las personas de edad, la financiación de las jubilaciones puede igualmente plantear un problema de difícil solución.

La gran suerte de nuestra sociedad es que dispone de un potencial de personas de edad en continuo aumento que debe ser incorporado a la vida activa y a la vida social. A la activa, suprimiendo los sistemas demagógicos que suponen una transición a la jubilación demasiado brutal, haciendo que este proceso se realice de forma progresiva y adaptable. A la social, permitiendo que las personas de edad puedan cubrir las múltiples y variadas necesidades de las comunidades humanas.

Por eso, una primera respuesta a todas esas ideologías que transmiten esos pseudovalores sería la apertura a la vida, en cualquier edad, porque todo ser humano es una persona, es decir, alguien único que tiene una conciencia clara de sí mismo y que actúa en consecuencia. Un ser insustituible, en el que confluyen un pasado, un presente y un futuro que hay que respetar como parte del misterio de su destino.

Para justificar su pasado, el ser humano necesita un padre y una madre, una familia en definitiva, saber de dónde viene, y esto no se limita al momento de la concepción. No debe sufrir la situación paradójica que pueden vivir algunos hijos adoptados. Por un lado, idealizan a aquellas personas desconocidas que los han engendrado, incluso aunque en algunos casos los hayan abandonado, y por otro, hacen recaer el dolor producido por el abandono de esos padres sobre los adoptivos, como si éstos fuesen «ladrones».

La integridad del hombre

Para justificar su presente, la persona humana debe ser protegida en toda su integridad. ¿No es acaso paradójico que las legislaciones penalicen más la experimentación con animales que con humanos? ¿No resulta escandaloso ver cómo aumenta el comercio de cuerpos humanos, de cualquiera de sus partes, y de la sangre?

Por último, para justificar su futuro debe tener descendientes engendrados y educados en el respeto hacia la naturaleza humana. ¿Cómo puede nadie sentirse orgulloso de fabricar un huérfano, tal y como hizo un grupo de médicos ingleses, el 10 de marzo de 1991, inseminando artificialmente a una joven virgen?

¿Cómo se puede aceptar participar en el nacimiento de un niño, cuya primera herencia es una anormalidad psicológica, al que se le niega *a priori* cualquier conocimiento del que es, a pesar de todo, su padre biológico? Y ¿cómo se puede practicar una inseminación subestimando de entrada lo que debe ser un derecho del niño, el derecho a un padre y a una madre? Lo que está claro es que el derecho a tener un hijo concebido de cualquier manera, comprando un tubo de semen por ejemplo, no debe primar nunca sobre el derecho del propio hijo.

Porque un hijo no es un objeto que se pueda comprar como se compra un animal de compañía. No depende de un derecho de propiedad, ni es un producto industrial que se pueda vender y comprar como hacemos con las cosas. Por eso, aquellos biólogos que abusan del poder de fabricar un hombre y actúan como si estuviesen jugando a construir un mecano, pero un mecano interesado, ¿acaso no se han alejado de lo que es la búsqueda del conocimiento para acabar haciendo comercio de seres humanos? ¿No se comportan como los nuevos esclavistas de los tiempos modernos? ¿No demuestran tener más una visión del hombre, del niño, como algo que se puede fabricar a partir de materias primas explotables que como un ser humano digno de ser respetado?

No debemos olvidar que el niño es un ser humano porque, si lo hacemos, lo habremos convertido en un objeto susceptible de ser comprado, sobre el que creeremos tener ciertos derechos y al que exigiremos según nuestros propios deseos. Y ¿qué sucederá si la casualidad hace que la combinación de los genes dé un resultado totalmente diferente al imaginado?

Nos encontramos, pues, frente a una nueva forma de alquimia practicada por aprendices de brujos, a los que se les paga simplemente por hacer un trabajo, sin tener que preocuparse por las consecuencias derivadas de las investigaciones que su clientela les solicita, y que saben que, si se diese el caso, un pequeño escándalo serviría para aumentar su fama. De seguir así, ¿no correrá nuestra sociedad el riesgo de sufrir una importante regresión cultural?

Es bien triste que hayan tenido que pasar unos cuantos siglos para comprender que todo hombre es una persona, para que ahora, de repente, a causa de una especie de noche biológica y moral, éste corra el riesgo de verse reducido a la condición de animal o de objeto.

Las comunidades de vida

En efecto, ni el hombre ni el niño pueden ser aislados del origen doble del que proceden y en el que existen. Todo ser humano nace de una mujer y de un hombre y se inscribe en comunidades de vida. La primera de ellas es la familia, antes incluso que el Estado. Porque, en tanto que persona, el ser humano está más presente en la familia que en el Estado. El Estado corresponde a la ley, es decir, a una concepción teórica a través de la cual los hombres tratan de organizar sus relaciones mutuas, lo que supone una dura tarea que hay que volver a comenzar una y otra vez, como Sísifo, porque siempre hay despabilados que buscan descubrir los fallos que les permitan aplicar esas leyes en su propio provecho.

La familia, sin embargo, es el primer círculo, aquél sin el cual no existiría ni el barrio, ni la asociación, ni el municipio, ni la nación, ni la idea comunitaria de un continente como Europa.

Incluso antes de ser una realidad susceptible de ser considerada cuantitativamente en su composición, la familia es sobre todo la célula base, el primer entorno en el que el niño aprende a conocer, a desarrollarse y a comprender el mecanismo de las relaciones sociales. Es el lugar en el que destaca el desinterés de cada uno en particular en beneficio del resto, el círculo en el que se crean los lazos de solidaridad entre las diferentes generaciones, fundamento esencial de la cohesión de la sociedad.

Para hacer frente a todas esas terribles maniobras inhumanas, Europa debe realizar una verdadera revolución, cuyo primer síntoma ha podido ser quizás la liberación de la Europa del Este.

De la misma manera que la fuerza de un árbol depende de la calidad de sus raíces, así también la vitalidad de todo ser humano reposa en las raíces inmateriales que forman su identidad. Y esta identidad comienza a fraguarse en el entorno en el que el niño vive su infancia y su adolescencia, para continuar forjándose durante la etapa adulta, en la que el hombre, a través de sus actos, puede añadir nuevos datos a su identidad en cualquier dirección.

Pero de lo que no cabe la menor duda es del papel fundamental que desempeñan los entornos en los que el hombre se mueve. Primero, la familia, los servicios de acogida de la infancia, el barrio, la escuela, el municipio. Luego, tanto el niño como el adolescente descubren nuevos círculos: asociaciones de jóvenes, clubs deportivos, escuelas artísticas, música, danza, etc. Círculos que, en general, influyen positivamente porque exigen del hombre en formación una participación activa; al contrario de lo que sucede con el entorno mediático, que, a falta de una formación espiritual crítica adecuada, impone a menudo la pasividad y abusa de un argumento superior que es la fuerza de la imagen.

Por tanto, existe toda una constelación que contribuye a una buena o una mala educación. Y el entorno geográfico central de esta constelación es la familia, primer elemento de la formación y puerto de amarre. Por eso, privar al niño, que es como un barco, de este puerto de amarre, significaría dejarlo a la deriva en el océano hasta que su espíritu naufragase.

De ahí la importancia de acabar con esta lucha sorda que se ha emprendido contra la familia. Muchas de nuestras reglamentaciones son resultado de una concepción de la sociedad exageradamente individualista, aunque esto sólo sea en apariencia, ya que en la realidad es más bien una concepción totalitaria. Muchos textos parecen haber sido elaborados para seres nacidos de padres desconocidos, que morirán solteros y sin descendencia. Y muchas legislaciones se desarrollan como si solamente existiesen solidaridades artificiales o ideológicas que llevan impresa la imperiosa marca del Estado.

Ya ha llegado el momento de revisar las políticas considerando a los ciudadanos no simplemente como organismos vivos organizados, sino como personas que poseen una clara conciencia de sí mismas y que son capaces de actuar en consecuencia.

Alejarnos de los pensamientos que no se inspiran en la vida, suprimir todo aquello que coarte el desarrollo del individuo como persona y, en particular, impulsar políticas familiares que no impidan que la familia sea ese entorno estimulante que por naturaleza le corresponde. Esta sería la gran revolución que supondría el inicio de los cambios en este milenio. Para conseguirlo, hay que impulsar un verdadero arte político.

7. Arte político

«La célula base de la sociedad sigue siendo la familia, lugar de amor, de aprendizaje y de sociabilidad que crea las condiciones necesarias para un desarrollo armonioso de la personalidad de nuestros hijos y para la integración de los individuos.»

Esta frase procede de la pluma de dos ministros, Claude Élvin y Hélène Dorlhac[1].

La humanidad que desprende parece entrar en contradicción con algunos de los argumentos analizados en los capítulos precedentes. Lo cierto es que dicha afirmación apenas si es tenida en cuenta en el momento de realizar y adoptar las gestiones y las decisiones públicas.

Una libertad pública abandonada

La política de la familia debería fundamentarse en determinadas realidades. La familia es esencialmente una realidad cotidiana, una entidad que no puede ser englobada en ninguna teoría porque cada familia vive de manera diferente, depen-

[1] En la presentación del 19.° informe sobre *La situation démographique de la France,* París, Éditions de l'INED, 1990.

diendo del número de miembros que la componen y del temperamento de éstos. Además, se quiera o no, cada una de las decisiones adoptadas por los políticos, cada una de las leyes que dictaminan y cada uno de los discursos que pronuncian tienen alcance de política familiar implícita o explícita. Las colectividades públicas influyen en la manera de organizar los individuos su vida privada y en la actitud que adoptan frente a los problemas familiares.

El Estado, y particularmente el Estado francés, conoce muy bien cuál es el significado de la vida y de la familia. ¿Acaso no decidió en 1792 «nacionalizar» el estado civil convirtiéndolo en un verdadero servicio público? ¿No hizo suyo, dos días después de que la monarquía fuese abolida, el acto familiar por excelencia, el matrimonio, mediante la ley del 22 de septiembre de 1792, manifestando de esta manera su deseo de estar presente en ese proyecto de vida que el matrimonio simboliza? Lo cierto es que, a partir de entonces, la sala municipal de mayor éxito en todo el país será la sala destinada a la celebración del matrimonio civil, con adornos que simbolizan la mayor parte de las veces los lazos de la vida.

En la actualidad, el Código Civil sigue otorgando al Estado un papel central en los ritos familiares. Lo que significa implícitamente que se adhiere a la promoción de una sociedad fundamentada en esta realidad natural que es la familia, sociedad de solidaridad, responsabilidad y libertad.

Al adoptar esta postura, el Estado manifiesta que una civilización equilibrada necesita de familias autónomas, estables y fecundas. Aunque el primer adjetivo –autónomas– no gusta demasiado a algunos ideólogos, los cuales deberían recordar que la característica común de los regímenes totalitarios siempre ha sido el deseo de controlar a la familia. Incluso en los otros regímenes, los poderes públicos tienen tendencia a intervenir en la vida de las familias, a veces de forma incorrecta. El exceso de intervencionismo a través de políticas fiscales, de vivienda, etc., es casi siempre negativo y perjudica a la familia.

Porque ésta debe ser una libertad pública: el derecho a fundar libremente un hogar. Y este derecho debe poder ejercerse con absoluta independencia, ya que el desarrollo de las personas sólo es posible en una ética de libertad.

Sin embargo, la realidad es que esta libertad pública se ve coartada por las dificultades que sufre la familia a causa del sistema socio-económico. Incluso podríamos afirmar que la promoción de esta libertad pública que es la familia parece abandonada. La evolución monetaria europea, las reformas económicas en el Este, las negociaciones comerciales internacionales, etc., son objeto de numerosos artículos, coloquios y opiniones. Cada día se nos informa de la evolución de los índices bursátiles y de la cotización del dólar, así como de una serie de temas que son, por otra parte, importantes. Pero convendría destacar el carácter demasiado exclusivo de este tipo de informaciones, tal como señalaba mi maestro y amigo Alfred Sauvy, en 1963, en el prólogo a la tercera edición de la *Théorie générale de la population:* «Los fenómenos que acaparan una mayor atención son fenómenos superficiales, incluso anecdóticos (la Bolsa, el balance de las cuentas, el movimiento de los precios), fenómenos que ocultan los más profundos, aquéllos que habría que analizar más exhaustivamente... No debería existir el "economista puro" que no contase con la demografía ni con la sociología.»

En efecto, la sociedad y la economía se fundamentan principalmente en los hombres, en las realidades demográficas. Y cualquier civilización, cualquier cultura, es el resultado de sus órganos intermedios, entre los que hay que incluir a la familia.

Dos puntos de vista

Pero hay dos maneras diferentes de considerar a esta familia.

La primera sería adherirse, de forma explícita o implícita,

a todas aquellas teorías que preconizaron y siguen preconizando la desaparición de la familia, a saber, la teoría marxista, la materialista y la de un neocientifismo que reduce la familia a una biología con pretensiones racionales. En todos estos casos, la familia, como lugar en el que se plantan las semillas del futuro, tierra de educación y espacio de solidaridad, pierde toda su significación: es un futuro diplodocus, una realidad social cuyo cadáver todavía ronda por ahí, pero que va a acabar desapareciendo para dejar vía libre a otras formas sociales.

La segunda consistiría en remitirse a las enseñanzas de la historia. Si examinamos los cambios que se han ido produciendo a través de los siglos en todos los órdenes de la vida, comprobaremos que lo único que ha permanecido siempre es la familia. Los expertos en prehistoria nos recuerdan que tres milenios antes de la era cristiana ya existían ritos familiares muy elaborados, el matrimonio por ejemplo. Y otros historiadores muestran que la familia actual, a la que llamamos conyugal, no es solamente el resultado de una evolución sociológica, sino que ha sido un modelo de vida muy extendido en numerosas épocas y en numerosos países.

Sin embargo, tanto si nos adherimos a la teoría que hace de la familia un arcaísmo como si estamos a favor de la realidad histórica que otorga a la familia un papel primordial en la vida pasada, presente y futura de las sociedades, es obvio que se impone una reflexión sobre la política familiar.

Si la familia es una especie en vías de extinción, como afirma la primera teoría, ¿no podríamos solicitar que se le aplicase una política de protección como ejemplar raro que todavía existe? Así como se llevan a cabo acciones para preservar la civilización de los Lapones, la de los indios americanos o la de los aborígenes australianos, ¿por qué no tratar de preservar una forma de vida marginal basada en el matrimonio, en la unión de dos seres y de sus descendientes?

En el segundo caso, si se considera a la familia como una realidad histórica, ¿sería tal vez una forma de vida que se realiza inevitablemente en sí misma, sin tener en cuenta la influencia de las condiciones del entorno? ¿Cómo puede la familia asumir sus responsabilidades de la mejor manera posible si no se inscribe en la continuidad ni se despliega en la libertad?

Una política olvidada

Tanto si las decisiones y las gestiones públicas proceden del Estado como de las colectividades territoriales o de las instituciones públicas, lo cierto es que afectan a las realidades familiares, sean cuales fueren las decisiones tomadas, las reglamentaciones promulgadas, las actitudes adoptadas o los discursos pronunciados.

La política familiar es, por lo tanto, una realidad con la que hay que contar, considerando los aspectos positivos o negativos que pueda tener.

Sin embargo, por el momento parece ser la gran ausente en las discusiones de los debates políticos. Y esta ausencia puede interpretarse de dos maneras: o bien no se le presta atención, o bien apenas merece un espacio en dichos debates porque sus modalidades actuales corresponderían sencillamente a las realidades y a las necesidades de nuestros días.

Sería conveniente quizá que dedicásemos unas líneas a esta segunda interpretación. En Francia, por ejemplo, la política familiar se fundamenta en los restos del *Code de la Famille* votado en 1939 durante la Tercera República. Pero, para comprenderlo mejor, nos situaremos en el contexto en el que fue votado, a través del papel desempeñado por Alfred Sauvy. A finales de 1990, cuando Alfred Sauvy murió, la comunidad internacional rindió un justo homenaje a su obra y a su trabajo. Demógrafo, economista y sociólogo francés, vivió el siglo XX con una lucidez y una clarividencia extraordinarias. Pero apenas si se recuerda el importante papel que desempeñó en materia de política familiar.

La vida del que sería profesor en el *Collège de France* estuvo marcada por el imperativo de considerar las realidades tal cual, sin caer en ideologías o en teorías desfasadas con respecto a los hechos observados. Y entre estas realidades humanas y eternas, la familia siempre ocupó un lugar importante. Él señaló también la necesidad existente en nuestras sociedades avanzadas de desarrollar una política familiar susceptible de promover una verdadera solidaridad entre las generaciones.

Un intelectual activo

En este sentido, su primer éxito lo obtuvo entre el 3 y el 12 de noviembre de 1938. El 3 de noviembre, Alfred Sauvy fue llamado por Paul Reynaud, que dos días antes acababa de ser nombrado ministro de Hacienda. El Gobierno tenía de plazo hasta el 12 de noviembre para promulgar una serie de decretos-ley, que la Constitución de 1958 llamará ordenanzas.

Paul Reynaud le pide que redacte algunos proyectos para el 10 de noviembre, y Alfred Sauvy comienza la que será la más corta y la más larga semana de su vida. Contrario a la ley de las cuarenta horas, cuya rigidez es un hándicap económico, crea las «horas extraordinarias», mejor pagadas, y consigue que se promulguen otras propuestas económicas que suponen un despertar para la economía a partir de los primeros meses de 1939.

En materia familiar, y tras superar todos los obstáculos, consigue que se firme un decreto que establece una cotización patronal del 5 % sobre los salarios para así aumentar las ayudas familiares. Alfred Sauvy apoya este mecanismo, preparado por Adolphe Landry, porque piensa que las ayudas familiares financiadas por un impuesto serían precarias, ya que dependerían de los votos a renovar cada año. Los altos funcionarios de

Hacienda, temerosos siempre ante cualquier proyecto que pueda desmantelar el papel fiscal del Estado, se opusieron sin éxito al plan Sauvy.

Más tarde, el 22 de Febrero de 1939, Alfred Sauvy contribuye, junto con Georges Pernot, Fernand Boverat y A. Landry, a la creación del *Haut Comité de Population* y *del Code de la Famille,* promulgado por decreto el 29 de Julio de 1939. Estos textos van a tener un largo futuro, ya que, tras ser votados durante la Tercera República, serán aplicados por el Estado francés (1940-1945), por el general De Gaulle y por las repúblicas posteriores.

En 1943, Alfred Sauvy publica *Richesse et population,* cuyo primer capítulo titulado «Essai d'une politique de population en France» contiene una frase de enorme actualidad: «Prometer jubilaciones a los trabajadores, con cuarenta años de antelación, sin tener en cuenta el problema demográfico, es un gesto que puede ser tachado de pueril y con calificativos más severos.»

Entre las ideas originales que este libro contiene, podemos extraer asimismo una propuesta y una frase. La propuesta es la creación de un préstamo al matrimonio, que el autor precisa en los siguientes términos: «El préstamo al matrimonio sólo será eficaz si implica un descuento en las deudas ante cada nuevo nacimiento y un cierto control sobre la manera como se utilice.»

La frase es la que aparece en la pág. 308, cuando Sauvy escribe: «El niño debe ser considerado el amigo público nº 1.»

Más tarde, la política familiar nacional instaurada en 1939 será objeto de numerosas modificaciones que, a menudo, entrarán en contradicción con la necesidad de estabilidad en el proceso de continuidad al que nos hemos referido en capítulos precedentes. Y ningún gobierno conseguirá esmerarse en lo esencial: en la definición de una política familiar para el futuro acorde con las evoluciones de la sociedad.

Los gobernantes franceses siempre han dado la impresión de interesarse por la política familiar. Han promulgado textos de forma periódica y han mantenido (aunque muy modestamente) algunas líneas presupuestarias. El Estado intenta llenar un vacío aquí y otro allá, acompañando estas acciones meritorias con discursos que, a veces, resultan agradables, pero que son insuficientes, tal como se desprende de los desengaños sufridos por las familias y de los fracasos en la creación de una verdadera política familiar que permita la libertad de elección.

Tres cambios

La sociedad europea de los años 90 ya no es la de 1939. Porque son tres los cambios fundamentales que se han operado a lo largo de este medio siglo.

Antes de la Segunda Guerra mundial, Europa era todavía un continente predominantemente rural. En Francia, por ejemplo, la última cifra disponible antes de la guerra, la del censo de 1936, indica que el 47'6 % de la población, casi la mitad, vive en municipios de menos de 2.000 habitantes aglomerados en torno a la capital de departamento. Aunque la proporción es menor que la del censo de 1901, que cifraba la población rural en un 59 %, continúa siendo todavía muy importante.

Pero, y aquí se produce el primer cambio, el índice de esta población rural va a descender considerablemente hasta cifrarse en un 20 %, según el censo de 1990. Es decir, si nos atenenemos a las estadísticas, el país «rural» de la primera mitad del siglo pasa a ser urbano en una proporción realmente aplastante.

El segundo gran cambio está en relación con el primero y se refiere a la actividad de las mujeres. Antes de la Segunda Guerra mundial, el lugar de trabajo de las mujeres no estaba apenas alejado del domicilio familiar. En otras epocas, la tasa de actividad de las mujeres, tal y como la definene las estadísticas, era efectivamente bastante importante. Pero la distancia, o mejor dicho la separación entre el domicilio y el lugar de trabajo, era pequeña en comparación con la que hay en la sociedad postindustrial.

Finalmente, respecto al tercer gran cambio, en el futuro una política familiar que se precie de serlo deberá tener en cuenta la segunda revolución demográfica, la difusión a partir de 1965 de métodos que facilitan el control casi total de la fecundidad. En otros tiempos, la fecundidad era del dominio de lo aleatorio más o menos aceptado. Pero, a partir de la década de los 60, pasó a ser generalmente el fruto de una voluntad, de una programación, de una aceptación. Incluso en algunos casos los hijos deseados pueden no nacer si se considera que no es posible inscribirlos en un proyecto duradero, en un proyecto familiar.

Rechazar el ni-ni

Existe una diferencia considerable entre el deseo de tener hijos que reflejan las encuestas, la pasión por la familia que constatan todos los sondeos de opinión y los datos cuantitativos relacionados con la evolución de las estructuras familiares. Todo esto traduce la realidad de una política familiar que no ha sabido renovarse ni reformarse, a pesar del triple cambio de la sociedad que se ha producido en estas últimas décadas.

Ha llegado, por tanto, el momento de realizar una profunda reflexión sobre la política familiar. Principalmente porque parece que la teoría del «ni-ni» comienza a afectarle: ni hay que cambiar la manera de pensar, que a menudo procede del marxismo sociológico vigente todavía, aunque el marxismo económico haya tenido que rendirse ante la evidencia del empobrecimiento y la desmoralización de territorios enteros, ni hay que modificar los medios, como si la sociedad no evolucionase. Pero evitemos caer en el error del Director de gabinete del Secretariado francés para la Familia durante los años 1981-1983: como no fue capaz de definir los objetivos de la política familiar de forma positiva, lo hizo de forma negativa, redactando un texto en el que enunciaba lo que la política familiar no debía hacer.

Por eso, porque puede transmitir los valores de libertad, responsabilidad y solidaridad mejor que cualquier otra política técnica, la política familiar bien merece una reflexión absolutamente renovada. Reflexión que se hará principalmente teniendo en cuenta dos premisas fundamentales: evitar la amalgama política familiar y política social, y no olvidar el papel esencial que las colectividades locales desempeñan.

Porque lo deseable es que los responsables políticos asuman funciones en materia de política social, ya sea desde los gobiernos, desde los departamentos o desde los municipios. Lo que honra a los colectivos públicos es la ayuda a todas aquellas personas que lo necesitan.

Las instituciones

La obligación que tenía la colectividad de distribuir pan entre los pobres nació en la Roma durante la época del Bajo Imperio *(panis popularis)*. Luego será la Iglesia católica, única institución unitaria, la que asegure esencialmente la asistencia a los pobres. Y más tarde, el reforzamiento del poder real reviste a la acción social de un carácter laico, que comienza con Francisco I. Bajo su reinado, se crea un *Grand Bureau des pauvres*, lejano precursor de lo que actualmente se conoce en Francia como *Centre communal d'action sociale* (C.C.A.S.). En Inglaterra, la reina Isabel instituyó en 1601 un régimen de asistencia pública conocido bajo el nombre de Ley de los pobres, que caerá en desuso antes de ser puesto en marcha de nuevo en el siglo XVIII. Aparte, pues, del papel fundamental desempeñado por los municipios con su presencia en los acontecimientos fundadores, la política familiar, en cuanto tal, no aparece claramente en nuestras instituciones.

Es cierto que, desde 1920, existen en Francia las *Caisses d'Allocations familiales* (Cajas de Subsidios familiares). Pero, si nos atenemos al ejercicio de sus funciones, observaremos que, desde los años 80, su actuación consiste mayoritariamente en otorgar ayudas financieras bajo ciertas condiciones de recursos, lo que corresponde a un objetivo de redistribución vertical de rentas, de aumento de las rentas más modestas; en definitiva sería más una política social que una política familiar. Además estas *Caisses* también tienen otros campos de actuación considerados oficialmente «sociales».

En el marco del gobierno francés, durante la Cuarta República el término familia no aparece como titular de ningún ministerio. Sin embargo, el término «Población» figura varias veces, solo o detrás de «Salud Pública», y prácticamente sin interrupción, desde el ministerio de Charles de Gaulle (de noviembre de 1945 a enero de 1946) hasta el ministerio de René Pleven (de julio de 1950 a febrero de 1951). Este término «Población» será recuperado como titular de diversos ministerios durante la Quinta República añadido a la Salud pública. Pero el término «Familia» solamente se utilizará, de forma periódica, en algunas secretarías de Estado o de ministerios delegados. En los colectivos locales, resulta todavía bastante extraño que cualquiera de los elegidos sea designado como «encargado de la familia».

Definiciones inadaptadas

Este repaso a las instituciones que acabamos de realizar plantea la cuestión de si la política familiar es una política en el pleno sentido de la palabra, es decir, si es una práctica necesaria en un gobierno. La política exterior y la de justicia están formalmente reconocidas, con una presencia ministerial permanente a lo largo de los diferentes gobiernos. Pero el hecho de que éste no sea el caso de la política familiar, ¿significa que dicha política no existe o que debe ser considerada como un subproducto de la política social? Para poder responder a esta pregunta, antes tendríamos que definir las características de la política social.

Esta definición puede realizarse desde diferentes perspectivas. La primera sería la de considerarla como una política que abarcase todo: desde la formación de los jóvenes hasta la promoción de creación de empresas. En definitiva, una política gracias a la cual las mujeres y los hombres pudieran disponer de sus propios recursos, evitándoles de esta manera el tener que recurrir a solicitar ayudas en dinero o en especie. En este sentido, cualquier política de prevención de las necesidades sería una política social. La política educativa y la económica se incluirían, por tanto, en la política social. Lo cual no deja de ser cierto, efectivamente; pero este tipo de definiciones sirven únicamente para recordar que todo está en todo. Sin embargo, al intentar definir un concepto, lo que se pretende justamente es especificar el contenido de aquello que se quiere definir.

Un segundo enfoque consistiría en hablar de política social para referirnos a las atribuciones de prestaciones financieras. Pero esta definición sería demasiado limitada, ya que dejaría de lado todos aquellos aspectos cualitativos, como la aplicación del Derecho de la acción social o el acompañamiento social, que resultan en gran parte del mismo ámbito de lo cualitativo.

Entre estas dos definiciones habría un tercer enfoque, el de la formulación de los dos aspectos claves de la política social: el aspecto preventivo, que consistiría en utilizar todos los medios disponibles para prevenir las necesidades, y el aspecto curativo, que sería el paso siguiente, cuando la necesidad o la dificultad ya han hecho su aparición.

La política social preventiva englobaría principalmente las iniciativas de prevención médico-social y sanitaria, a saber: cuidado de la salud de los menores de tres años, control de las formas de custodia, vacunación, prevención de ciertas enfermedades, prevención contra el alcoholismo y las toxicomanías, etc. Este aspecto de la política social atañe al conjunto de la población, al conjunto de las familias. Es más general y, por lo tanto, podría asimilarse con lo que sería una acción familiar, una política familiar.

Cuatro especificidades

Pero la política social en la que se piensa la mayoría de las veces es una política curativa, la que se aplica para ayudar a una persona o una familia ante dificultades no previstas o no deseadas. Esta política posee cuatro características específicas que le son propias y que la diferencian de la política familiar.

La primera especificidad muestra que en cualquier acción de política social siempre hay un *suceso desencadenante* que perturba el curso normal de la vida familiar: el paro, un proceso de larga enfermedad a la que no se puede hacer frente, un endeudamiento, la aparición de graves tensiones o violencias en el seno de la familia, rentas insuficientes, etc.

Este suceso desencadenante es el estado de necesidad, durante mucho tiempo relacionado con el estado de indigencia, cuya constatación era clara, pero que luego ha pasado a ser un concepto relativo debido a una doble evolución de la sociedad. Por una parte, el retroceso de la indigencia a causa de los progresos económicos y sociales ha permitido ampliar la noción de necesidad, aunque aquélla haya vuelto a manifestarse en los años 80 con el fenómeno de la nueva pobreza. Y por otra, la idea que subyace es la de poner al alcance de las economías más modestas, incluso medias, unos servicios considerados como indispensables para poder vivir.

Pero en una sociedad ideal la necesidad no debería existir. Y la política social sólo se aplica cuando aparece una causa primaria no deseada.

Respecto a la segunda especificidad, se supone que la acción de la política social es, por definición, *temporal*, a diferencia de la acción de la política familiar. Su objetivo es contribuir a ayudar a la familia a recuperar una situación en la que no necesite recurrir a la acción social. Lo ideal sería que no hubiese necesidad de política social, ni sinsabores que hiciesen necesaria su existencia, ni familias con rentas demasiado limitadas para poder dar a sus hijos unas condiciones de vida dignas. Aunque este ideal es imposible de conseguir.

La política familiar pretende y debe ser recurrente; ha de servir para impulsar la educación del niño y la vida de la familia. Por lo que debe inscribirse en un proceso de continuidad, contrariamente al caso del complejo de Cronos.

Sin embargo, la política social es momentánea, aunque éste no siempre sea el caso. En la medida de lo posible, su aplicación sólo será válida mientras sirva para ayudar a una persona que esté pasando por alguna dificultad; pero deberá desaparecer en cuanto haya cumplido su cometido.

Los *campos de aplicación* de la política familiar y de la política social, y aquí entraríamos en la tercera especificidad, son muy diferentes: la política familiar tiene un alcance general sobre el conjunto de las generaciones; sin embargo, la social se limita, por definición, a aquellas personas que en un momento determinado sufren un hándicap que les coloca en una situación desfavorable. Su objetivo es individual y categorial.

De esta tercera especificidad derivaría fundamentalmente una cuarta. Puesto que la política social se aplica a una persona, familia o categoría definida, debería ser posible *evaluar los efectos concretos de dicha aplicación*. Por ejemplo, examinar los resultados en el minusválido al que se le ha dado una formación, en la persona de edad que puede seguir viviendo en su domicilio gracias a ciertos servicios de asistencia social, en la familia con escasa renta para la que se ha conseguido una mejora en el nivel de vida, etc.

El balance de la política familiar, al contrario, es más difícil de establecer porque engloba a toda una población en su conjunto, sin entrar en los casos particulares.

En fin, una vez expuestas las diferencias entre política social y política familiar, convendría definir a continuación los aspectos generales y los objetivos de esta última.

Un arte político

Hablando en términos generales, la política familiar se refiere a las decisiones y a la gestión pública que afectan a las realidades familiares.

Esta definición se aplica a cualquier política familiar, porque todas las decisiones que un poder público tome, todas las reglamentaciones que dictamine, todas las actitudes que adopte o todos los discursos que pronuncie tienen alcance de política familiar.

Pero toda política tiene un objetivo positivo. Así, el de la política económica es mejorar el nivel de vida, y el de la política de defensa garantizar la seguridad exterior. Por tanto, y según el sentido general de la palabra política, el objetivo de la política familiar debe ser favorecer a la familia o, al menos, tratar de no perjudicarla.

En consecuencia, *la política familiar es un arte, en el sentido inicial del término, es decir, un conjunto de medios, de procedimientos legales, que permiten que la familia asuma libremente sus responsabilidades y su futuro en beneficio del hombre.*

Por eso, la amalgama entre política social y política familiar puede conducir a errores en detrimento de una u otra. Cada una tiene su propia legitimidad. La política social es una política de solidaridad del momento para ayudar a ciertas personas a superar una necesidad en una circunstancia determinada. La política familiar es una política de solidaridad entre las generaciones. Si las mezclamos, convertiremos a la familia en un objeto digno de compasión y estaremos dando una imagen muy penosa de ella.

Por otro lado, la ausencia de una política cuyo objetivo sea favorecer un entorno propicio a la creación de empleo multiplicará el número de personas necesitadas y hará más pesadas las responsabilidades de la política social.

De la misma manera, la ausencia o la insuficiencia de una política familiar que cree un entorno favorable a la familia impide que ésta ejerza plenamente sus responsabilidades, lo que conduce a una sobrecarga mayor de la política social.

Por tanto, en un momento en el que los costes sociales plantean cada vez más problemas de financiación, se impone la puesta en marcha de políticas familiares orientadas hacia el futuro. Estas políticas son competencia de todas las colectividades públicas, en sus diferentes niveles, y atañen directamente a las colectividades territoriales.

Diferentes niveles

Cualquier colectividad local tiene una política presupuestaria, una política de equipamiento, una política cultural y una política económica. Pero ¿tiene asimismo una política familiar?

Para responder a esta pregunta, es necesario definir primero el concepto de política familiar en el nivel de colectividad local. La política cultural comprende las orientaciones y decisiones adoptadas por un poder territorial en relación a la vida cultural. La política familiar engloba las relacionadas con las realidades familiares.

La primera constatación que se impone es la siguiente: cualquier colectividad local tiene una política familiar. Así, cuando fija las tasas de deducción del impuesto sobre la vivienda, cuando concede subvenciones a alguna asociación familiar, cuando contribuye financieramente a algún sistema de protección, etc., la colectividad local está realizando acciones que afectan directamente a la familia.

Pero pocas veces se percibe esto como tal política familiar, al contrario de lo que sucede con algunas políticas que son presentadas globalmente para determinar precisamente sus campos de aplicación. Por ejemplo, la política deportiva de una ciudad se inscribe a menudo en un plan global de ayuda a las asociaciones y en un proyecto de equipamiento. La política de urbanismo entra principalmente en un plan de ocupación del suelo que exige una minuciosa elaboración. Sin embargo, y debido a su aspecto colateral, la política familiar es a menudo bastante difusa. Así, en Francia, el cumplimiento de la ley de 17 de julio de 1980, que regula el acceso a los comedores escolares de aquellos niños pertenecientes a familias que tienen al menos tres hijos, es una cuestión que se incluye frecuentemente en el marco de la política escolar, aunque sea al mismo tiempo un aspecto esencial de la política familiar.

En resumen, aunque implícitamente, cualquier colectividad local tiene una política familiar. Es decir, de la misma manera que a veces hacemos o conseguimos algo inconscientemente, las colectividades poseen a menudo una política familiar sin ser conscientes de ello. Ahora bien, en una democracia, cualquier política debe ser formulada para que los ciudadanos puedan conocerla, comprenderla y participar de ella.

El primer círculo

En el supuesto de que las colectividades locales no tuviesen una política familiar, ¿deberían tenerla realmente? ¿Deberían interesarse por las cuestiones familiares? Para responder a esta pregunta, baste recordar cuál es la finalidad de las políticas de las colectividades: delimitar de la mejor manera posible un espacio susceptible de mejorar el entorno vital y la vida de la población que en él reside. Y esto sólo se consigue asegurando la armonía social, es decir, la solidaridad entre todos los habitantes. Ahora bien, estos habitantes no son la suma total de unos individuos que viven separados unos de otros, para los que la colectividad local sería solamente el primer nivel en el escalafón de la pertenencia a una comunidad. Entre la colectividad y el individuo existen otros espacios de solidaridad, a saber: las familias, las asociaciones y, a veces, los barrios. Y, de todos éstos, la familia es el primer círculo, el cuerpo intermedio de base. Porque el hombre no es únicamente un ser que aspira a una vida individual. Es un ser familiar, que aspira a una vida familiar, y un ser social, que aspira a una vida social.

La colectividad local no puede, por tanto, tener una política que niegue la realidad de las estructuras de vida de su población. Su deber es considerarlas en sus diferentes aspectos. Y la primera de estas estructuras de vida es la familia porque, además de asegurar la perpetuidad de la colectividad al plantar las raíces del futuro, se encuentra en el centro mismo de la educación, de la preparación a la vida, y es el primer círculo de la regulación social. Así, es de todos conocido que las dificultades y las violencias constatadas en algunos barrios urbanos se ven agravadas porque las familias que se han instalado o que han sido colocadas allí no consiguen adaptarse al tejido urbano, de ahí la incapacidad de dichas familias para cumplir su cometido. La cohesión social y la adhesión a valores que permitan vivir en armonía no pueden ser nunca decretados desde arriba, por muchos medios financieros que se utilicen para conseguirlo.

Si no existe un buen funcionamiento de los cuerpos intermedio que son la base de la vida social, la comunidad jamás conseguirá acabar con todas esas tensiones latentes susceptibles de estallar en cualquier momento, sobre todo cuando los individuos dudan entre el conflicto y la integración en una sociedad.

Otorgar valor

En consecuencia, la colectividad local debe, en primer lugar, otorgar a la familia el valor que le corresponde para, de esta manera, estimularla a ejercer sus responsabilidades. Porque todo lo que apunta hacia una ruptura de la familia acaba favoreciendo la ruptura de la sociedad, resta importancia a la fuerza de la solidaridad natural y es, por tanto, nefasto para la comunidad de hombres y mujeres que forman la colectividad local. Por supuesto, dichas colectividades no pueden poner un tutor a cada persona en particular para ayudarle a realizar sus propias elecciones individuales, ya que éstas corresponden al ámbito de lo privado. Y tampoco deben imponer unas decisiones de gestión u otras a los responsables de las empresas. Pero, por un lado, deben adoptar las medidas que garanticen las condiciones económicas necesarias para que los empresarios creen empleos, sean más innovadores y más competitivos, es decir, tomen iniciativas encaminadas a mejorar la sociedad. Y por otro, deben ofrecer a la familia un entorno que favorezca su pleno desarrollo, impulsando un urbanismo mucho más humanizado y adoptanto medidas que reconozcan el papel de la familia en la ciudad. En definitiva, iniciativas justas para las familias.

Un entorno humano

En segundo lugar, la colectividad local no debe olvidar jamás que es ante todo un espacio geográfico, y que este espacio ocupa uno de los primeros lugares en la memoria.

Esto es especialmente cierto desde un punto de vista cuantitativo, sobre todo con la generalización de la seguridad social. El número que corresponde a cada niño recordará durante toda su vida la provincia y el municipio en los que ha nacido.

Ahora bien, lo más importante es recordar que, después del hogar, el barrio será el primer espacio de vida en el que se mueva el niño. Ese entorno influirá en él de una manera u otra, dependiendo de que el barrio sea acogedor y agradable para vivir o, por el contrario, horrible y violento. En cuyo segundo caso, la familia tendrá mayores dificultades para poder desarrollar su papel educativo. Corresponde, pues, a la colectividad local actuar para garantizar a las familias un entorno de vida reconfortante.

La subsidiariedad

En tercer lugar, como entidad con autonomía propia en el amplio marco de la vida social, el papel de la familia se inscribe en el principio de subsidiariedad, según el cual «si privásemos a los grupos de orden inferior de las funciones que pueden ejercer por sí mismos, confiándolas a una colectividad más extensa y de una categoría más elevada, alteraríamos de manera muy perjudicial el orden social[2].»

Pero hay dos maneras de no respetar la subsidiariedad. La primera de ellas, la más evidente y la más constatada, consiste en aplicar políticas estrictas que no permitan que el ciudadano y los cuerpos intermedios elijan libremente. Como está pasando en Francia en materia de vivienda, donde el deseo de controlar el mercado desde arriba provoca que éste pierda la fluidez que proporcionaría a las familias verdaderas posibilidades de elección. Asimismo, los sistemas de guarderías regulados desde arriba impiden la flexibilidad y la variedad de dichos sistemas, favoreciendo los colectivos (guarderías colectivas) frente a los individuales (guarderías familiares), así como la gestión administrativa (guarderías municipales) frente a la gestión asociativa (guarderías de padres).

La segunda manera de no respetar la subsidiariedad es la de crear un entorno desfavorable que haga más difícil la vida de un grupo social de orden inferior. Por ejemplo, la familia contribuye a la educación de los niños y de los adolescentes que, por definición, son seres frágiles y en proceso de madura-

[2] Encíclica *Quadragesimo anno*, 15 de mayo de 1931.

ción. Cuando la publicidad y los anuncios de algunos periódicos que se distribuyen gratuitamente sólo transmiten mensajes escandalosos, corruptos y morbosos, actúan de forma negativa sobre las conciencias y no favorecen en absoluto la formación de la personalidad del niño. Es importante, por tanto, que las colectividades locales asuman lo bueno, lo bonito y lo verdadero como parte de sus responsabilidades, ya que de tales valores depende la cohesión social.

La solidaridad entre las generaciones

En cuarto lugar, la política familiar de las colectividades locales debe tener como objetivo la justicia entre las generaciones. Las condiciones de vida de la familia no son siempre las mismas. En un primer momento, la pareja vive sola; luego llega el primer hijo, incluso puede llegar el segundo, el tercero, y otros más. Unas veces, la familia pasa por etapas de enormes responsabilidades materiales, y otras, estas responsabilidades son menores. Por tanto, para que exista la solidaridad entre las generaciones, la familia debe recibir más o menos según la magnitud e importancia de sus necesidades materiales. Es decir, lo justo es recompensar a la familia por las responsabilidades materiales que asume en función de la importancia de éstas.

La colectividad local debe ayudar a la familia en el cumplimiento de sus funciones primordiales de formación, educación y asistencia de los niños. Y la familia debe, a su vez, sentir que el poder público mantiene una actitud positiva respecto de las funciones que ella asume, por ejemplo cuando nace un nuevo hijo.

La realidad muestra, pues, que toda colectividad local, en tanto en cuanto su territorio agrupa a varias familias, posee una política familiar. Es decir, una política que cuenta con las realidades familiares en el momento de tomar decisiones y desarrollar su gestión. Y puesto que toda política tiene como objetivo el bienestar de aquello hacia lo cual va dirigido, esta política familiar debe ir encaminada a favorecer a la familia, no a perjudicarla. Por lo que debe valorar sus funciones, ayudarla a ejercer sus responsabilidades, ofrecerle un entorno saludable y facilitar la solidaridad entre las generaciones.

Para alcanzar estos objetivos, el entorno reglamentario debe garantizar asimismo un marco de estabilidad. Porque no hay nada más antifamiliar que el cambio por el cambio, las modificaciones en las designaciones para dar la impresión de que se está haciendo algo, los derechos que aparentan tener algún efecto, pero que varían a voluntad de los que tienen capacidad institucional decisoria. La política del cambio por el cambio es únicamente una forma de nihilismo, es decir, pone de manifiesto una incapacidad de definir claramente unos derechos naturales. Además, los miembros de la unidad familiar –hombre, mujer e hijos– sólo pueden realizarse en el tiempo.

Una empresa de vanguardia

En efecto, la familia se inscribe en esta dimensión de la continuidad en el tiempo. Porque en ella se conjugan una herencia biológica y otra cultural, al tiempo que construye el futuro. Es una especie de empresa de vanguardia, en un aspecto más esencial que técnico, porque sus esfuerzos están siempre encaminados hacia el futuro. Por lo tanto, es importante establecer una política de libertad familiar con el objetivo de dar confianza a la familia, en lugar de manifestar desconfianza u hostilidad hacia ella, como sucede en ocasiones.

Desde una perspectiva estrictamente económica, el niño es una inversión, y la familia una empresa educativa. Así pues, las normas que se aplican a las empresas en materia de gastos de inversión deberían ser igualmente respetadas en estas empresas educativas. Porque una empresa no paga al Estado el impuesto sobre las sociedades en función de su tamaño o de la cantidad de asalariados que tenga, sino que lo hace en función de su capacidad contributiva, calculada a partir del resultado fiscal. El principio de igualdad fiscal entre las empresas es muy sencillo: a idéntico resultado fiscal, idéntico impuesto. Consideremos que el criterio de diferenciación de las familias no es el resultado fiscal, sino el nivel de vida, y apliquemos este principio de igualdad fiscal. En este caso, el principio sería el siguiente: a nivel de vida equivalente, impuesto equivalente.

Los impuestos que las familias pagan no deben, por tanto, hacerse en función de su composición, sino en función de su capacidad contributiva. De donde se deduce que el sistema tributario directo sobre las familias no debería ser demasiado difícil de aplicar. Ni el cociente familiar ni el aumento de las deducciones según el número de hijos son en absoluto ayudas que el Estado decide conceder a las familias. Es un razonamiento falso considerar estas medidas como una aportación a las familias, ya que esto significaría que todas las rentas pertenecen al Estado, y que toda renta no sometida a contribución, o sólo parcialmente, es un regalo del Estado. La aplicación justa del principio que acabamos de señalar es mucho más sencilla y clara: los impuestos directos deben aplicarse en función del nivel de vida del hogar fiscal. Y como una familia con varios hijos que educar tiene un hogar fiscal inferior al de otra familia que en ese momento no tenga ninguno, lo justo es que su impuesto sobre la renta sea asimismo inferior.

El nivel de vida de una familia depende de su renta global y de su tamaño (es decir, del número y de la edad de sus miembros). Existen unas estadísticas que elaboran unas «escalas de rentas» que permiten precisar los diferentes ingresos mensuales susceptibles de garantizar el mismo nivel de vida a una persona que vive sola, a una pareja sin hijos, a una familia con tres niños, etc. Una de ellas, la más célebre, es la de Oxford, cuya pertinencia ha sido confirmada, *grosso modo*, por el INSEE. Basta, pues, aplicar esta escala para tener un impuesto justo.

En realidad, todo es un problema derivado de la terminología empleada: hablamos de impuesto sobre la renta y llegamos implícitamente a la conclusión de que dos cuadros medios de renta semejante deben pagar el mismo impuesto. Sin embargo, puede suceder que uno de los dos no tenga hijos durante el año de referencia, y el otro esté educando a cuatro niños en ese mismo momento.

Otro ejemplo, ¿por qué el trabajador autónomo que suscribe un seguro de vida en beneficio de su familia no puede deducir su coste, en tanto en cuanto está adoptando una decisión preventiva para evitar que el día de mañana, si algo le ocurre, su familia quede desamparada? Para aplicar unos impuestos directos justos, quizá deberíamos comenzar por cambiar la denominación. Si al impuesto sobre la renta se le llamase «impuesto sobre la capacidad contributiva» o «impuesto sobre el nivel de vida», se entendería que su finalidad es garantizar una serie de recursos al Estado en proporción a los recursos contributivos de cada hogar.

Solidaridad, equidad fiscal, sea como fuere, lo cierto es que una verdadera política familiar reclama asimismo la libertad de elección. Y a este respecto, hay que dejar de establecer diferencias entre las mujeres que desarrollan una actividad profesional y aquéllas que se consagran a las actividades familiares. Los dos grupos son iguales, mujeres que, en un caso, dedican una parte de su tiempo a realizar un trabajo profesional remunerado, y en otro, a las necesidades de la vida familiar.

Tiempos elegidos

La educación de los hijos debe hacerse también libremente. Los padres han de tener libertad para elegir, en determinados momentos, cuidar ellos mismos de sus hijos o confiar dicha custodia a otros, es decir, decidir qué tipo de cuidado quieren para sus hijos, ya que los hombres y las mujeres de hoy no desean limitar toda su vida al ejercicio de una única función. Les gusta ocuparse de sus hijos, así como tener tiempo libre o realizar actividades sociales en la ciudad. No se plantean sacrificar lo uno en beneficio de lo otro. ¿O es que no tienen derecho a que les guste al mismo tiempo trabajar, pasear y educar? ¿Acaso se le prohíbe a un enamorado de las películas de *cow-boys* que vea también películas de aventuras o de ensayo? Y a alguien a quien le apasiona Molière, ¿se le prohíbe que le gusten también Beaumarchais, Sacha Guitry o el teatro más popular?

Así son las cosas. Los hombres y las mujeres de hoy desean poder dar unas veces preferencia a su actividad profesional, y otras a su vida familiar. Además, ¿acaso estas dos actividades no se complementan? ¿No pasan ambas por momentos agradables y por momentos más difíciles?

La verdadera libertad familiar no consiste, por tanto, en elegir de una vez por todas entre vida familiar y vida profesional. Consiste fundamentalmente en definir los mecanismos que permitan elaborar un proyecto de vida en el que se conjuguen la vida profesional y la vida familiar, con libertad para dar prioridad a una u otra según los momentos. Y esto implica la elaboración de medidas adaptadas a las diferentes elecciones que puedan hacerse. De donde se deduce, por ejemplo, que se ha de revisar la legislación laboral y los convenios colectivos, considerando la especificidad biológica de la vida de las mujeres, ya que todos estos textos han sido en su mayoría elaborados para personas de sexo masculino, que respetan el ritmo semanal legal y realizan toda su carrera en el mismo lugar. La rigidez de estos textos contrasta con la variedad de los diferentes períodos por los que va pasando la vida. Por ejemplo, para facilitar el poder trabajar a tiempo parcial en las pequeñas empresas, sería conveniente modificar la deducción de los asalariados a tiempo parcial a partir de la aplicación de los principios sociales.

La consideración de las realidades familiares en las decisiones públicas requiere una habilidad política bastante sutil. Muchas decisiones políticas transmiten imágenes muy claras porque corresponden a realidades materiales. Sin embargo, el aspecto transversal de la política familiar no permite dicha visualización. Por lo que, en este caso, y más que en ningún otro, se impone la necesidad de desarrollar una política realmente efectiva.

Conclusión

«Cualquier hombre y cualquier mujer, sin distinción de raza, nacionalidad o religión, tiene derecho a casarse y fundar una familia. (...) La familia es el elemento natural y fundamental de la sociedad y debe ser protegida por la Sociedad y el Estado.»

(Artículo 16 de la Declaración Internacional de los Derechos Humanos, O.N.U., 1948)

«Es necesario que los europeos otorguen a la familia su valor fundamental de elemento primero en la vida social.»

(Juan-Pablo II, 7 de octubre de 1988, Consejo de Europa)

En su libro *Souvenirs d'enfance et de jeunesse,* Ernest Renan escribía que «todo lo que somos es el resultado de un trabajo secular». Los valores que respetamos, nuestra forma de vida, las libertades de las que gozamos, etc., nada de esto es fruto del momento ni de una luz repentina que nos lo haya dado. La realidad de un país, de un pueblo, de un hombre viene de lejos, y sólo puede ser comprendida en términos de continuidad. A menudo, la sociedad que reflejan los medios de comunicación sólo es la escoria de lo que nos rodea. Porque dichos medios tratan la información del momento, que rechaza totalmente la del instante precedente, aunque ésta haya podido ser más importante o más significativa. Ahora bien, la información del momento refleja únicamente un instante de la vida, no describe la verdadera realidad de ésta, realidad que sólo puede ser entendida si se inscribe en la continuidad. El aprendizaje de la vida social no es innato, sino que resulta de un lento y largo proceso de maduración que requiere una educación adaptada.

No adquirimos la condición de ciudadano después de recibir en el buzón nuestro carnet de elector. Esta es el fruto de todo un proceso de formación y educación plural que vamos recibiendo a través de los años.

En este sentido, pues, el momento presente es el resultado de la historia, tiene sus raíces en el tiempo pasado.

Y para saber qué nos depara el mañana, retomemos la frase de Renan que citábamos unas líneas más arriba y conjuguémosla en futuro: «Todo lo que seremos, será el resultado de un trabajo secular.»

Esto es particularmente cierto en el caso de los hombres. Por ejemplo, en materia de población, la unidad de acción son treinta años, la separación entre una generación y otra. Por eso, las personas que integrarán la Francia y la Europa del mañana son sobradamente conocidas.

Es decir, con los datos de población actuales, podemos prever lo que seremos en el futuro: todos los Europeos que en el 2010 tendrán más de quince años ya han nacido, son perfectamente conocidos. Porque la vida de una población avanza a la velocidad de una película a cámara lenta. Pero con tal lentitud, que a veces no la percibimos, y, sin embargo, es esencial. Sucede como con las agujas del reloj: la pequeña es la más importante, pero nos parece inmóvil porque no la vemos moverse.

Algo parecido sucede en los países europeos. En el tema de la población, no han sido capaces de comprender el movimiento de la aguja pequeña que marca la cuenta atrás de nuestro futuro. Consideremos, por ejemplo, los sistemas sociales. A pesar de los continuos sobresaltos, todavía siguen siendo afortunados. Aún disfrutan, o mejor dicho abusan desde hace más de veinte años, de las reservas contables del descenso de la natalidad. Se tiene la sensación de que, en cuestión de evolución demográfica, todo transcurre tranquilamente, de forma lisa y llana. Pero, en realidad, nos encontramos ya al borde del envejecimiento, de la despoblación y del declive, tal y como reconocía el amplio titular aparecido el 25 de abril de 1989 en las páginas de economía de *Le Monde:* «el declive demográfico en Europa.» Y ¿qué sucederá después?

Si nos atenemos a la enseñanza de la historia, ésta es bastante cruel al respecto: Atenas, Roma y Venecia son tres civilizaciones que desaparecieron, y cuya herencia no fue fácil de recuperar. En algunos casos tuvieron que pasar incluso varios siglos. Occidente, por ejemplo, no comenzó a recuperarse del desastre romano hasta el siglo IX. Y algunas de las técnicas utilizadas en esta época de la antigüedad no fueron encontradas hasta el siglo XV... «Recorro la tierra y sólo encuentro devastación», escribía Montesquieu en 1721, convencido de que la decadencia de las civilizaciones era resultado de la despoblación.

Y no es del todo falso. El esquema de la extinción de las civilizaciones desaparecidas siempre ha sido el mismo: descenso de la natalidad, envejecimiento, declive y, finalmente, decadencia.

La clarividencia nos obliga, pues, en primer lugar, a conocer los hechos, es decir, la realidad del invierno demográfico europeo.

La principal uniformidad constatada en Europa a lo largo del último tercio del siglo XX ha sido la tendencia a la homogeneización de los comportamientos demográficos.

La «mamma» italiana, la fecunda bretona, la alemana de las tres K (cocina, iglesia, niños, *Küchen, Kirche, Kinder)* y la portuguesa prolífica ya son solamente estampas de una época pasada. En el centro mismo de Italia, por ejemplo, en Liguria, las muertes son dos veces y media más numerosas que los nacimientos. El sur de Europa, poco denso, tiene el índice de fecundidad más bajo, frente a los países más fecundos que se encuentran en las márgenes sur y este del Mediterráneo.

Nunca antes se habían registrado tales cifras, al menos desde que existen las estadísticas del registro civil. Y la intensidad y duración de este fenómeno son también completamente nuevos. Porque el descenso de la natalidad que se produjo en la Francia malthusiana en el siglo XIX fue de naturaleza diferente: el índice de población era entonces mucho más elevado, y se contaba con que los avances en medicina e higiene, especialmente en la lucha contra la mortalidad infantil, permitiesen recuperar el equilibrio anterior.

En la actualidad, el combate contra la mortalidad infantil se ha ganado en más del 99 % de los casos. Sin embargo, aun suponiendo que consiguiésemos ganarlo en un 100 %, es decir, que ya no hubiese mortalidad infantil ni mortalidad adolescente, seguiríamos necesitando como mínimo 205 niños por cada 100 mujeres para asegurar el reemplazo de las generaciones. Y lo cierto es que, tal como muestran y confirman las estadísticas de población que existen desde hace tres siglos, en cualquier sociedad, en cualquier territorio, nacen 100 chicas por cada 105 chicos. A no ser que en el futuro se pueda elegir el sexo de los hijos. En cuyo caso, habría que examinar esta cuestión desde una ángulo totalmente nuevo.

Es, por tanto, la primera vez que el registro civil observa un descenso de la natalidad tan intenso y prolongado. Y no pensemos que la estabilidad que este bajo nivel parece haber alcanzado ni los ligeros ascensos constatados en algunos países de Europa durante los últimos años, relacionados en parte con los fenómenos migratorios, cambian la naturaleza del problema de fondo. Los indicadores demográficos muestran realmente una clara evidencia: vamos derechos hacia el envejecimiento y la despoblación.

Ahora bien, si pusiéramos todo nuestro empeño en elaborar una verdadera política familiar, se podrían superar los obstáculos que contribuyen a agravar dicho problema. Lo que implicaría superar todas esas ideologías dominantes que han podido inducir a creer que la familia era una realidad desfasada, que de la muerte de la familia surgiría un nuevo hombre, un ser diferenciado, privado de libertad por el famoso «Gran Hermano», como escribió Orwell en su libro *1984*. En un principio se pensó que la familia iba a desaparecer, y algunos gobiernos adoptaron todo tipo de medidas para acelerar su muerte. Pero estas medidas resultaron ser ineficaces, porque lo que ellos tomaron por el cadáver de la familia todavía se movía. A su vez, los nuevos ideólogos marxistas han tenido que enterrar algunos textos de los padres fundadores, Marx, Engels y Lenin, porque la revolución leninista de octubre de 1917 (que no debemos confundir con la de febrero de 1917) preconizaba idéntica colectivización para la familia y la empresa.

Este paralelismo que los escritos marxistas establecen entre la familia y la empresa muestra claramente que, para el pensamiento socialista, la empresa es a la economía lo que la familia a la sociedad. Dicho de otra manera, la familia es una especie de empresa, con fines solidarios y educativos, por tanto merece la misma suerte, hay que colectivizarla.

Pues así como las economías de los países marxistas han tenido que declararse en quiebra por su ideología anti-empresa, las poblaciones de los países occidentales pueden correr idéntica suerte en un plazo fijo, como resultado del envejecimiento de su pirámide de edades debido al predominio en sus políticas de ideologías anti-familiares.

Por otra parte, a las colectividades públicas les corresponde por naturaleza, en virtud del principio de subsidiariedad, «ayudar a los miembros del cuerpo social, no absorberlos ni destruirlos». Es decir, lo que no debería hacer es encerrar a la familia en una serie de reglamentaciones que la asfixien, sino permitir que pueda desempeñar sus obligaciones con plena libertad.

La historia nos muestra que Europa goza de una cultura, de un conjunto de conocimientos adquiridos que permiten un mejor desarrollo del espíritu crítico, del gusto y de la razón, que ha ido desplegándose sobre todo un espacio continental, superando las dificultades que fue encontrando a través de los siglos, desde que la palabra Europa adquirió su significación política y cultural en tiempos de Carlomagno.

Dicha cultura se fundamenta en unos valores muy importantes: en la piedad y la caridad, fruto del respeto a la dignidad que corresponde por derecho a todo ser humano; en la capacidad de crear; en la libertad de los hombres y de las comunidades simbolizada, por ejemplo, en el *habeas corpus* instaurado en Inglaterra desde el siglo XII; en el desarrollo de las autonomías municipales; en la separación de los poderes, etc.

Estos valores solamente podrán perdurar y mantenerse vivos si a las estaciones antiguas les suceden otras nuevas, si de las raíces del pasado nacen nuevos brotes con proyección de futuro, si la vida continúa, si el dios Cronos no se apodera de Europa.

Este dios pensaba que podría eternizar su poder acabando con las fuentes del futuro, devorando a sus propios hijos. Europa, a semejanza de Cronos, parece rechazar el mañana sacrificando a su juventud y tratando de sacar el máximo provecho del materialismo económico del presente. Deja a un lado las inversiones en población, esenciales para la transmisión de la cultura, y desestima la importancia de las comunidades de vida indispensables para el enriquecimiento de un siglo en el que la concordia entre los pueblos y entre las generaciones sigue siendo un imperativo. En definitiva, está perdiendo ese sentido del respeto incondicional hacia la persona sobre el que se fundamenta su civilización.

Hemos dicho al principio que Rhéa, la mujer de Cronos, descubrió la manera de impedir que su marido acabase con la vida de todos sus hijos. Siguiendo su ejemplo, Europa debe dotarse de un nuevo arte político que pondrá al servicio de una de las más profundas solidaridades humanas, la solidaridad entre las generaciones.